Littératie en action

Directeurs de collection pour l'édition française

Léo-James Lévesque
Johanne Proulx

Auteurs de l'édition originale

Dr Sharon Jeroski

Andrea Bishop
Jean Bowman
Lynn Bryan
Linda Charko
Maureen Dockendorf
Christine Finochio
Jo Ann Grime
Joanne Leblanc-Haley
Deidre McConnell
Carol Munro
Cathie Peters
Lorraine Prokopchuk
Arnold Toutant

PEARSON
ERPI

5757, RUE CYPIHOT, SAINT-LAURENT (QUÉBEC)   H4S 1R3
TÉLÉPHONE : 514 334-2690   TÉLÉCOPIEUR : 514 334-4720
erpidlm@erpi.com

POUR L'ÉDITION FRANÇAISE

Directrice de l'édition
Linda Tremblay

Traductrice
Monique Lanouette

Chargée de projet
Mélanie D'Amours

Réviseure linguistique et correctrice d'épreuves
Marie Théorêt

Recherchiste (photos et droits)
Marie-Chantal Masson

Directrice artistique
Hélène Cousineau

Coordonnatrice aux réalisations graphiques
Sylvie Piotte

Couverture
Philippe Morin

Édition électronique
Valérie Deltour

POUR L'ÉDITION ORIGINALE

Chef d'équipe
Anita Borovilos

Consultantes nationales en littératie
Beth Ecclestone
Norma MacFarlane

Éditrices
Susan Green
Elynor Kagan

Chefs de produit
Donna Neumann
Paula Smith

Directrice de rédaction
Monica Schwalbe

Directrices de la recherche et du développement
Chelsea Donaldson
Elaine Gareau
Mariangela Gentile

Chargées de projet
Susan Ginsberg
Milena Mazzolin
Adele Reynolds
Lisa Santilli

Réviseures et correctrices d'épreuves
Rebecca Vogan
Jessica Westhead

Recherche
Glen Herbert
Rebecca Vogan

Coordonnateurs de la production
Donna Brown
Alison Dale
Zane Kaneps

Coordonnatrice industrielle en chef
Jane Schell

Directrice artistique
Zena Denchik

Graphistes
Zena Denchik
Maki Ikushima
Anthony Leung
Alex Li
Carolyn Sebestyen
Word & Image Design

Recherchistes photos
Glen Herbert
Cindy Howard
Amanda McCormick
Grace O'Connell

Vice-président, édition et marketing
Mark Cobham

Remerciements

POUR L'ÉDITION FRANÇAISE

L'éditeur remercie les personnes suivantes pour leurs commentaires judicieux au cours de l'élaboration de cet ouvrage :

Johanne Austin, agente pédagogique, School district 6 de Rothesay, N.-B.

Joanne Cameron, retraitée, anciennement conseillère en immersion au ministère de l'Éducation de la Nouvelle-Écosse, superviseure des programmes de français, Dartmouth District School Board, N.-É.

Alicia Logie, conseillère pédagogique, conseil scolaire de Surrey, C.-B.

Brian Svenningsen, conseiller pédagogique, Toronto District School Board, Ont.

Diane Tijman, coordonnatrice des programmes d'études en langues, Richmond School Board, C.-B.

Nathalie Wall, enseignante, Ottawa Catholic School Board, Ont.

POUR L'ÉDITION ORIGINALE

Consultants pour la collection

Andrea Bishop

Anne Boyd

Christine Finochio

Don Jones

Joanne Leblanc-Haley

Jill Maar

Joanne Rowlandson

Carole Stickley

Réviseurs scientifiques

Ken Ealey

Doug Herridge

Marg Lysecki

Dianna Mezzarobba

Susan Pleli

Iris Zammit

TABLE DES MATIÈRES

VUE D'ENSEMBLE X

MODULE 1

Une question d'équité! 2

Établir l'équité technologique : un ordinateur portatif
par enfant 4

Lire une biographie 8

Lis avec habileté 9

Des gens qui luttent pour l'équité 10

    Gisèle Lalonde, une femme d'action ! 10

    Louise Arbour, une femme de droit ! 12

    Muhammad Yunus, un homme exemplaire ! 14

Fais un retour sur tes apprentissages 16

Écris avec habileté 17

L'eau pour tous 18

Mon grand-père, un combattant-né 22

Un monde équitable ! 26

Le savais-tu ? 28

À l'œuvre ! 30

Juste et équitable 32

Le racisme expliqué à ma fille 38

Le géant chevelu 42

À ton tour ! 48

Ton portfolio – Gros plan sur tes apprentissages 49

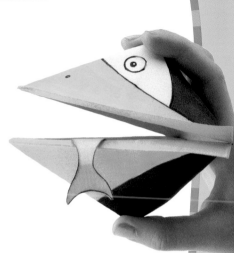

MODULE 2
L'art de l'image 50

Effets spéciaux 52

Lire une entrevue 56

Lis avec habileté 57

Des gens derrière l'image 58

    Rencontre avec un photographe 58

    Rencontre avec une metteure en scène 60

    Rencontre avec une bédéiste 62

Fais un retour sur tes apprentissages 64

Écris avec habileté 65

Métier : cascadeur ou cascadeuse 66

Le Cirque du Soleil… démaquillé 70

Le calligramme : l'image en poème 74

À l'œuvre ! 76

Que vois-tu à la télévision ? 78

Des personnages à portée de la main 84

Une histoire tout feu tout flamme 87

À ton tour ! 94

Ton portfolio – Gros plan sur tes apprentissages 95

MODULE 3

De la Terre à l'Univers 96

L'espace, une visite guidée 98

Lire un texte explicatif 102

Lis avec habileté 103

En orbite… 104

    Pluton, une planète naine ? 104

    La comète de Halley 106

    Mars, la planète rouge 108

Fais un retour sur tes apprentissages 110

Écris avec habileté 111

40 ans déjà ! 112

Une étoile est née 116

L'air de l'extraterrestre 120

À l'œuvre ! 122

Demandez à des astronautes 124

Des légendes célestes 129

Destination : Jupiter 134

À ton tour ! 138

Ton portfolio – Gros plan sur tes apprentissages 139

Des divertissements sur mesure 140

Fais ton choix ! 142

Lire un texte d'opinion 146

Lis avec habileté 147

Une question d'opinion 148

La musique peut-elle aider les parents
à mieux connaître leurs enfants ? 148

La télévision a-t-elle une influence
sur le développement des enfants ? 150

Le sport est-il dangereux pour les jeunes ? 152

Fais un retour sur tes apprentissages 154

Écris avec habileté 155

Qu'est-ce que la téléréalité ? 156

Expressions artistiques 161

Un haïku, c'est voir la nature avec très peu de mots 166

À l'œuvre ! 168

Apprends un pas de danse ! 170

L'art de la critique 172

La classe de neige 176

À ton tour ! 182

Ton portfolio – Gros plan sur tes apprentissages 183

MODULE 5

Quelque chose à raconter... 184

Une histoire à raconter 186

Lire un récit 190

Lis avec habileté 191

Une page du passé 192

    Le journal de Mikhailo 192

    Le journal de Nadža 194

    Le journal de Catherine 196

Fais un retour sur tes apprentissages 198

Écris avec habileté 199

Un sauvetage flamboyant 200

La critique d'un récit fantastique 205

Parle-moi de nous 208

À l'œuvre ! 210

La création du premier guerrier 212

Lucie Wan Tremblay et l'énigme de l'autobus ... 216

Céleste, ma planète 222

À ton tour ! 226

Ton portfolio – Gros plan sur tes apprentissages 227

MODULE 6

Le Canada, notre héritage 228

Perdu et retrouvé 230

Lire un dépliant touristique 234

Lis avec habileté 235

Des sites historiques à découvrir 236

    Lieu historique national du Canada :
la Forteresse-de-Louisbourg 236

    Lieu historique national du Canada :
la Maison-Laurier 238

    Lieu historique national du Canada :
le village de Batoche 240

Fais un retour sur tes apprentissages 242

Écris avec habileté 243

À la recherche du Passage du Nord-Ouest ... 244

Les noms de lieux et leur origine 247

Évangéline 250

À l'œuvre ! 252

Les femmes exploratrices 254

Isabelle Scott vers la Terre de Rupert, juillet 1815 ... 260

Les incroyables aventures de Champlain 264

À ton tour ! 270

Ton portfolio – Gros plan sur tes apprentissages ... 271

VUE D'ENSEMBLE

Le début d'un module

Le **titre du module** est en lien avec un des six thèmes suivants: la communication, les valeurs, les sciences, l'identité, la littérature jeunesse ou les études sociales.

Des **mots** et des **expressions** sont suggérés pour te familiariser avec le vocabulaire lié au thème. C'est l'occasion de faire part de ce que tu connais sur le sujet.

Un texte de **lecture interactive** te permet d'acquérir d'autres mots de vocabulaire et vise à capter ton attention sur le thème. Ton enseignant ou enseignante lira le texte à voix haute ou t'invitera à l'écouter au moyen d'un disque compact. C'est l'occasion de mettre en pratique des stratégies d'écoute et d'interagir avec les autres.

Chaque module propose en ouverture une **photo** en lien avec le thème afin d'inciter à la discussion en groupe.

Les **objectifs d'apprentissage** donnent un aperçu des activités proposées dans le module, du genre de texte à l'étude, des habiletés et des stratégies ciblées.

La section **Lire un ou une...** te permet de t'initier au genre de texte à l'étude dans le module.

La lecture interactive

Ce texte te permet d'avoir un premier contact avec le thème abordé dans le module.

Une **question** est posée avant la lecture du texte. Cette question guide ta lecture et te permet de commencer ta réflexion.

La section **Lis avec habileté** te rappelle les quatre tâches que les lecteurs efficaces accomplissent (préciser son intention, décoder le texte, construire le sens du texte, analyser le texte).

La rubrique **Parlons-en !** t'offre une occasion de réagir au texte lu et de discuter avec tes camarades de ce que vous connaissez sur le sujet.

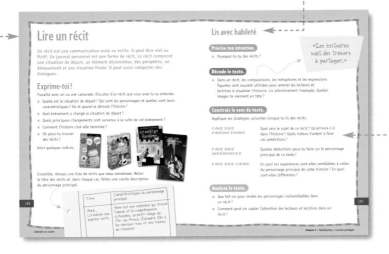

Des stratégies de décodage, de compréhension et d'analyse sont présentées.

Les trois **stratégies de compréhension** en lecture qui ont été ciblées dans le module sont expliquées.

La lecture guidée

Un **texte de lecture guidée** en lien avec le thème (bande orange) te permet de mettre en application les trois stratégies ciblées.

Pour chaque stratégie, une **question** est posée pour t'aider à la mettre en application pendant la lecture.

Dans la section **Écris avec habileté**, tu analyses le genre de texte à l'étude et tu en dégages les caractéristiques, ce qui t'aidera lorsque tu auras à écrire des textes.

On te propose un **élément d'écriture** à observer en lien avec le genre de texte à l'étude. Six éléments d'écriture caractérisent un bon texte. Ils sont répartis dans les six modules (la structure du texte, les conventions linguistiques, le choix des mots, le style et la voix, les idées, la fluidité des phrases).

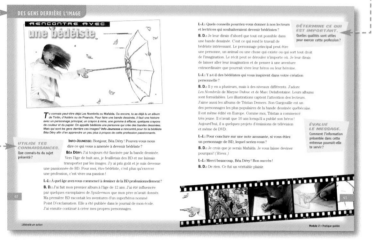

Trois stratégies de compréhension en lecture sont ciblées par module. Ton enseignant ou ton enseignante les a modélisées avant avec un autre texte, pendant la lecture partagée. C'est à ton tour de les mettre en application.

La section **Fais un retour sur tes apprentissages** est l'occasion de revenir sur le thème et sur les stratégies de lecture mises en pratique.

Cette section permet aussi de **réfléchir à ta démarche de lecture**, d'y revenir d'une façon active afin de voir dans quels autres textes tu pourrais utiliser les stratégies mises en application.

La **structure** du genre de texte à l'étude est mise en évidence.

La pratique coopérative ou autonome

Une **question** t'est posée avant la lecture pour t'inciter à exercer ta pensée critique.

Chaque module propose aussi **d'autres genres de textes** pour mettre en pratique les stratégies que tu as explorées dans le module. Il peut s'agir d'un poème, d'un texte informatif ou d'un texte narratif, toujours en lien avec le thème.

La rubrique **Observe le texte** vise, à l'aide d'une question, à attirer ton attention sur la façon dont un texte est construit (ex.: structure des phrases, choix du vocabulaire, ponctuation).

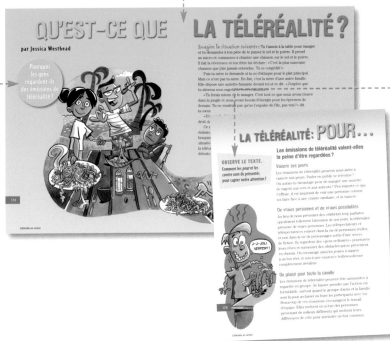

La rubrique **Va plus loin** propose des activités visant à développer et à réinvestir tes connaissances et tes compétences en lecture, en écriture et en communication orale. Ces activités mènent souvent à une production médiatique. On te fournit une occasion de travailler de façon autonome ou avec un ou une camarade pour réagir au texte ou préparer une mise en commun. Parfois, la rubrique **Média action** t'invite à examiner une variété de productions médiatiques et à établir un lien avec le texte lu.

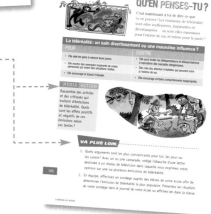

L' intégration et le réinvestissement

La section **À l'œuvre !** te propose une tâche d'évaluation. La tâche combine l'écriture, la lecture et la communication orale. Elle est toujours en lien avec le thème.

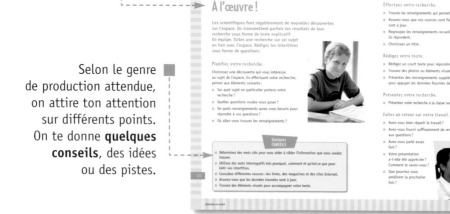

Selon le genre de production attendue, on attire ton attention sur différents points. On te donne **quelques conseils**, des idées ou des pistes.

Différents genres de textes (narratif, informatif) sont proposés pour te permettre de réinvestir les stratégies que tu as apprises dans d'autres modules et les nouvelles que tu viens de mettre en application.

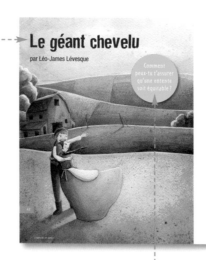

Une **question** t'est posée avant la lecture pour t'inciter à exercer ta pensée critique.

À la fin du module, la section **À ton tour !** te propose une courte tâche pour approfondir ce que tu as appris et utiliser tes nouvelles connaissances ou habiletés dans un nouveau contexte. C'est l'occasion de montrer ce que tu sais faire.

Une **démarche** t'est proposée pour accomplir ta tâche. Même si la tâche peut prendre différentes formes, tu devras toujours la planifier, la réaliser et la présenter.

Dans la section **Ton portfolio**, tu fais la démonstration de tes apprentissages, tu les évalues et tu sélectionnes les travaux qui te semblent les plus pertinents.

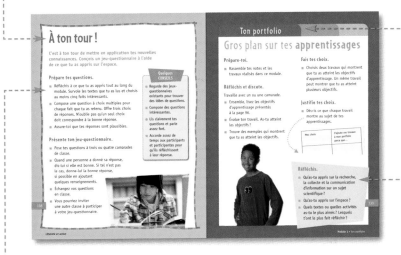

Comme dans les textes de pratique coopérative ou autonome, la rubrique **Observe le texte** attire ton attention sur la façon dont un texte est construit (ex.: structure des phrases, choix du vocabulaire, ponctuation).

Une **démarche** t'est proposée: tu devras faire des choix et faire preuve de créativité.

La rubrique **Va plus loin** propose des activités visant à développer et à réinvestir tes connaissances et tes compétences en lecture, en écriture et en communication orale.

Pour terminer, tu **réfléchis** à ce que tu as appris et à la façon dont tu pourras améliorer tes prochaines productions.

Une question d'**équité** !

OBJECTIFS D'APPRENTISSAGE

Dans ce module, tu vas faire les tâches suivantes :

- écouter, lire et écrire des biographies de gens ayant lutté pour l'équité ;

- lire une variété de textes sur l'équité, dont une chronique journalistique, un récit personnel, un reportage, une pièce de théâtre et un conte ;

- faire une entrevue avec une personne qui a lutté pour l'équité et la justice ;

- concevoir un prix ou un trophée pour honorer une personne qui a lutté pour l'équité et la justice dans le monde.

2

corriger des inégalités
établir l'équité
lutter pour la justice et l'équité
promouvoir l'équité
rendre le monde plus équitable
soutenir le commerce équitable

3

Établir l'équité technologique : un ordinateur portatif par enfant

par Léo-James Lévesque

Que peux-tu faire pour corriger certaines inégalités dans le monde ?

En tant qu'élève, ici au Canada tu as accès à un ordinateur. Tu en possèdes peut-être même un à la maison. De nos jours, l'ordinateur est considéré comme une nécessité plutôt qu'un luxe.

Au Canada, les élèves ont de la chance. Notre pays jouit d'un niveau de vie élevé, et la plupart des gens ont les moyens de se procurer un ordinateur. Toutefois, un ordinateur est trop cher pour la majorité des habitants des pays en développement. Comment les élèves de ces pays peuvent-ils s'en passer ? Imagine les connaissances qu'ils pourraient acquérir s'ils avaient leurs propres ordinateurs ! Pense aussi aux communications que les jeunes de partout dans le monde pourraient établir si chacun disposait d'un ordinateur. En donnant accès aux mêmes connaissances à tous les enfants du monde, on pourrait rendre le monde plus équitable.

4

C'était le rêve de Nicholas Negroponte, le président fondateur du Media Lab du Massachusetts Institute of Technology. Pour réaliser son rêve, il a entrepris de concevoir un ordinateur qui ne coûterait que 100 $ US. Un tel prix inciterait les gouvernements des pays en développement à acheter des ordinateurs pour tous les élèves, ce qui contribuerait à établir une certaine équité. M. Negroponte a rencontré des dirigeants des gouvernements du Nigeria, du Brésil et de la Thaïlande, qui lui ont assuré qu'ils en achèteraient des millions. Plus le nombre d'ordinateurs produits serait élevé, plus ils seraient bon marché. C'est ainsi qu'a commencé le projet de Nicholas Negroponte *One Laptop per Child* (un ordinateur portatif par enfant).

Nicholas Negroponte veut établir l'équité technologique.

5

one laptop per child

Le XO ne consomme pas beaucoup d'énergie.

En novembre 2005, lors du Sommet mondial sur la société de l'information tenu en Tunisie, M. Negroponte et Kofi Annan, le secrétaire général de l'Organisation des Nations unies (ONU) à ce moment-là, ont dévoilé un prototype fonctionnel de l'ordinateur appelé XO. En plus d'être doté d'un traitement de texte, cet ordinateur vert et blanc comportait une carte réseau sans fil et une caméra couleur. Il n'avait pas de disque dur, mais 1 Go de mémoire flash. L'écran pouvait passer d'un affichage couleur au mode noir et blanc pour économiser l'énergie, une préoccupation majeure dans les pays en développement. À la fin de 2006, les premiers prototypes avaient été livrés, et la production à grande échelle a débuté en novembre 2007. Le coût de cet ordinateur atteignait environ 188 $ US. Partout dans le monde, on se réjouissait à l'idée d'offrir aux élèves des pays en développement un ordinateur portatif, une meilleure éducation et ainsi un avenir plus prometteur.

6

Kofi Annan était secrétaire général de l'ONU en 2005.

Toutefois, ce projet n'a pas été facile. M. Negroponte désirait fournir ces ordinateurs aux enfants sans que les divers intervenants fassent des gains financiers. Les entreprises qui fabriquaient ces ordinateurs ne partageaient pas cette idée. Au lieu de réduire leurs profits, elles ont commencé à concevoir leurs propres ordinateurs bon marché. Elles y ont installé leurs propres logiciels avec des marques connues. Par conséquent, les gouvernements de certains pays qui s'étaient d'abord engagés à acheter le XO ont annulé l'entente et ont acheté les ordinateurs portatifs élaborés par les nouveaux concurrents de *One Laptop per Child*. Nous ne connaissons pas encore l'avenir de cet organisme. Cependant, Nicholas Negroponte et les membres de son équipe doivent être reconnus comme les chefs de file du mouvement mondial visant à procurer des ordinateurs portatifs à prix abordable à tous les enfants du monde. Ce mouvement mondial aide à établir l'équité technologique dans tous les pays.

Le rêve de Nicholas Negroponte est de procurer un ordinateur portatif à prix abordable à tous les enfants du monde.

PARLONS-EN !

- Avec un ou une camarade, discute de l'importance de l'équité. Que pourriez-vous faire pour promouvoir l'équité dans votre communauté ?

- Selon toi, quel rôle devrait jouer le Canada pour assurer l'équité dans le monde ? Pourquoi ? En équipe, préparez et présentez une annonce d'intérêt public visant à encourager les Canadiens et Canadiennes à promouvoir l'équité dans le monde.

7

Lire une biographie

Les biographies présentent souvent des personnes intéressantes ou inspirantes. Les auteurs ou les auteures nous font connaître la personne, ses principales qualités et ses accomplissements. Plusieurs biographies ont été écrites sur des gens qui ont lutté pour la justice et l'équité.

Exprime-toi !

Travaille avec un ou une camarade. Discutez d'une biographie que vous avez lue ou d'un film que vous avez vu sur la vie d'une personne.

- Quel est le nom de cette personne et pourquoi a-t-elle été choisie ?
- Qu'est-ce qui rend la vie de cette personne intéressante ?
- Où peux-tu trouver des biographies ?

Voici quelques indices.

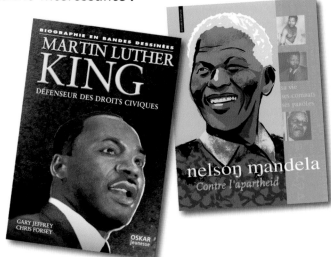

Ensemble, dressez une liste de biographies que vous avez lues ou que vous aimeriez lire. Notez pourquoi ces biographies vous intéressent.

Nom de la personne	Pourquoi la biographie de cette personne vous intéresse-t-elle ?
Bernard Grandmaître	Il a travaillé sur la loi qui permet aux Ontariens et Ontariennes de recevoir des services gouvernementaux en français.

Lis avec habileté

Je ne connaissais pas le mot *concevoir* mais le contexte m'aide à comprendre que ça veut dire «faire».

Précise ton intention.

■ Pourquoi lis-tu des biographies?

Décode le texte.

■ Tu peux comprendre des mots qui ne te sont pas familiers à l'aide du contexte. Y a-t-il des indices dans la phrase ou dans le paragraphe qui pourraient t'aider à comprendre ce mot?

Construis le sens du texte.

Applique les stratégies suivantes lorsque tu lis des biographies.

FAIS DES PRÉDICTIONS.
Lis les titres et observe les images. Que va-t-il se passer dans le texte?

VÉRIFIE TES PRÉDICTIONS ET FAIS DE NOUVELLES PRÉDICTIONS.
Pendant la lecture, fais des pauses pour vérifier tes prédictions. Tes prédictions étaient-elles justes? Fais de nouvelles prédictions sur la suite du texte.

FAIS DES LIENS.
Quels sont les points communs entre la vie de la personne présentée dans la biographie et la vie d'autres personnes que tu connais?

Analyse le texte.

■ Pourquoi écrit-on des biographies?

■ Comment expliquer qu'une biographie peut être racontée de deux façons différentes par deux personnes?

Gisèle Lalonde
Une femme d'action !

Notes biographiques

- a consacré une grande partie de sa vie à la défense et à la promotion des droits de la communauté franco-ontarienne
- a été la première femme à devenir maire de Vanier (quartier de la ville d'Ottawa)
- a été nommée membre de l'Ordre du Canada

FAIS DES PRÉDICTIONS.

Qu'est-ce que Gisèle Lalonde a fait pour promouvoir l'équité ?

Gisèle Lalonde est une Franco-Ontarienne. Elle est née le 28 juin 1933 à Eastview, aujourd'hui le quartier Vanier de la ville d'Ottawa. Elle est l'épouse de Gilles Lalonde, la mère de trois fils et la grand-mère de nombreux petits-enfants. Son engagement communautaire et social fait de cette femme un modèle qui a marqué la vie publique au Canada.

La lutte pour l'équité

Gisèle Lalonde a consacré une grande partie de sa vie à la défense et à la promotion de l'équité des Franco-Ontariens et Franco-Ontariennes. À titre de présidente de l'Association française des conseils scolaires de l'Ontario, en 1980 et 1981, Gisèle Lalonde reconnaît l'importance pour un groupe minoritaire de gérer ses propres institutions. En 1985, elle est

10

la première femme à devenir maire de Vanier. En 1989, elle fonde l'Association française des municipalités de l'Ontario. Ensuite, cette femme d'action travaille à l'obtention de la gestion des écoles par et pour les Franco-Ontariens. En janvier 1997, Gisèle est heureuse d'apprendre que le gouvernement de l'Ontario accorde enfin aux Franco-Ontariens le pouvoir de gérer leurs propres écoles.

La lutte continue

En février 1997, la Commission de restructuration des services de santé de l'Ontario recommande la fermeture de l'hôpital Montfort, le plus grand hôpital francophone en Ontario. En réaction à cette recommandation, Gisèle Lalonde devient la porte-parole de SOS Montfort, un groupe de la communauté francophone qui a pour mission de garder intact l'hôpital Montfort. En 2001, la Cour d'appel de l'Ontario annule les directives de la Commission de restructuration. En 2002, le gouvernement abandonne la cause et déclare que l'hôpital Montfort continuera à desservir la communauté francophone.

Gisèle Lalonde a reçu de nombreuses distinctions en raison de son engagement. En 2003, le Conseil des écoles publiques de l'Est de l'Ontario lui a rendu hommage en donnant son nom à une école secondaire. En 2004, cette militante franco-ontarienne est reconnue pour son engagement civique et est nommée membre de l'Ordre du Canada.

Gisèle Lalonde entrevoit l'avenir de la francophonie ontarienne d'un œil positif. Elle possède un enthousiasme contagieux et stimule l'engagement civique de toute la population franco-ontarienne.

VÉRIFIE TES PRÉDICTIONS ET FAIS DE NOUVELLES PRÉDICTIONS.

Qu'est-ce que Gisèle Lalonde a fait pour rendre le monde plus équitable ?

Gisèle Lalonde lutte pour l'équité dans sa communauté.

FAIS DES LIENS.

Comment la vie de Gisèle Lalonde te fait-elle penser à la vie d'autres personnes que tu connais ?

11

Louise Arbour
Une femme de droit !

Notes biographiques

- a ordonné à un conseil scolaire d'intégrer en classe régulière un enfant handicapé
- a été la première femme francophone à siéger à la Cour suprême de l'Ontario
- a été nommée l'une des 100 personnalités les plus influentes par *Times Magazine*

FAIS DES PRÉDICTIONS.

Qu'est-ce que Louise Arbour a fait pour promouvoir l'équité ?

Louise Arbour est née le 10 février 1947, à Montréal, au Québec. Elle est diplômée en droit de l'Université de Montréal et parle couramment le français et l'anglais. Passionnée pour la justice, Louise Arbour devient, en 1987, la première femme francophone à siéger à la Cour suprême de l'Ontario. En 1990, elle est nommée juge à la Cour d'appel de l'Ontario. Parmi d'autres jugements, elle ordonne à un conseil scolaire d'intégrer en classe régulière un enfant handicapé et accorde le droit de vote aux détenus. En peu de temps, elle est considérée comme une juge efficace et audacieuse.

La lutte pour la justice

Respectée de ses pairs, Louise Arbour devient rapidement une figure internationale reconnue pour sa lutte pour la justice. La juge Arbour n'hésite pas à se rendre dans les pays les plus pauvres pour informer le monde entier de l'état des droits et des conditions de vie des personnes défavorisées.

En 1996, le Conseil de sécurité des Nations unies nomme Louise Arbour procureure en chef du Tribunal pénal international pour l'ex-Yougoslavie ainsi que du Tribunal pénal international pour le Rwanda, fonctions qu'elle occupe pendant trois ans. En 1999, elle devient juge à la Cour suprême du Canada. La même année, elle reçoit un prix pour sa contribution à l'avancement de la paix et à l'amélioration des relations humaines en Europe. En 2004, elle quitte le poste de juge à la Cour suprême du Canada pour occuper ses nouvelles fonctions à la tête du Haut-commissariat aux droits de l'homme (HCDH) à l'Organisation des Nations unies (ONU), à Genève. Elle succède alors à Sergio Vieira de Mello, tué le 19 août 2003 lors de l'attaque terroriste menée contre le siège de l'ONU à Bagdad.

La magistrate exceptionnelle

En 2004, Louise Arbour est nommée l'une des 100 personnalités les plus influentes par *Times Magazine*. En 2005, la juriste la plus connue de la planète fait encore les manchettes lorsqu'elle dénonce un réseau de prisons secrètes. Ces prisons sont utilisées par les services de renseignements américains pour détenir et interroger des présumés terroristes sans avoir à respecter les lois et les conventions internationales. En 2008, elle quitte ses fonctions au terme d'un mandat de quatre ans à l'ONU.

Louise Arbour a su laisser sa marque dans sa profession et dans le monde.

VÉRIFIE TES PRÉDICTIONS ET FAIS DE NOUVELLES PRÉDICTIONS.

Qu'est-ce que Louise Arbour a fait pour rendre le monde plus équitable ?

Louise Arbour est toujours à la poursuite de la justice dans le monde.

FAIS DES LIENS.

Comment la vie de Louise Arbour te fait-elle penser à la vie d'autres personnes que tu connais ?

13

Muhammad Yunus
Un homme exemplaire !

Notes biographiques

- a aidé des femmes du Bangladesh à mettre sur pied leurs propres entreprises

- a fondé la Grameen Bank et développé le concept de microcrédit (l'octroi de microprêts aux personnes plus démunies)

- a reçu le prix Nobel de la paix

FAIS DES PRÉDICTIONS.

Qu'est-ce que Muhammad Yunus a fait pour promouvoir l'équité ?

Muhammad Yunus est né le 28 juin 1940 au Bangladesh. À 21 ans, il devient entrepreneur en mettant sur pied une usine d'emballage et d'impression. En 1965, il déménage aux États-Unis pour faire des études et il obtient son doctorat en économie.

La lutte contre la pauvreté

En 1976, ce professeur de science économique se rend dans un village pauvre de la campagne de son pays d'origine. Il y rencontre une femme qui gagne sa vie en fabriquant des tabourets de bambou. Même si elle travaille fort, elle est très pauvre. Elle n'a pas les moyens d'acheter son bambou elle-même, et les prêteurs du village exigent des frais excessifs. Tout ce dont cette femme a besoin est une somme équivalant

14

à 25 ¢ dans la monnaie de ce pays! Muhammad Yunus demande aux villageoises de combien d'argent elles ont besoin pour mettre sur pied leurs propres petites entreprises et échapper au cycle de la pauvreté. Ainsi, il prête l'équivalent d'environ 27 $ US à 42 femmes du village. Ces femmes mettent alors sur pied leurs petites entreprises, gagnant ainsi de l'argent pour subvenir aux besoins de leurs familles.

Par la suite, Muhammad Yunus fonde la Grameen Bank, qui aide plus de deux millions de femmes bangladaises à se libérer des chaînes de la pauvreté.

La reconnaissance d'un citoyen exceptionnel

En 2006, on attribue le prix Nobel de la paix conjointement à Muhammad Yunus et à la Grameen Bank pour «leurs efforts pour promouvoir le développement économique et social par la base». Le Comité du prix Nobel fait un choix judicieux, car il nous rappelle que des actions communes pour réduire la pauvreté mènent à la paix.

Le microcrédit peut devenir un principe directeur pour assurer la réussite des entreprises. Cette idée prend de l'ampleur dans l'ensemble des pays en développement ainsi que dans des nations développées comme le Canada et les États-Unis. Comme la Grameen Bank, les nouveaux établissements de microcrédit prêtent surtout à des femmes.

Partout dans le monde, on considère Muhammad Yunus comme un héros. En 2007, il forme un parti politique, nommé le *Pouvoir du citoyen*, au Bangladesh. Il fait aussi partie d'un groupe de dirigeants internationaux, les Global Elders, dont l'un des membres fondateurs est Nelson Mandela.

Muhammad Yunus continue de travailler pour l'amélioration des conditions sociales et l'épanouissement humain dans le monde.

VÉRIFIE TES PRÉDICTIONS ET FAIS DE NOUVELLES PRÉDICTIONS.

Qu'est-ce que Muhammad Yunus a fait pour rendre le monde plus équitable?

Muhammad est à l'écoute des besoins dans sa communauté.

FAIS DES LIENS.

Comment la vie de Muhammad Yunus te fait-elle penser à la vie d'autres personnes que tu connais?

15

Fais un retour sur tes apprentissages

Je crois qu'il est important de promouvoir l'équité dans le monde. Qu'en penses-tu ?

Tu as...

- parlé d'équité et de justice ;
- lu des textes à propos de gens qui ont lutté pour l'équité et la justice ;
- appris des mots nouveaux et des expressions en lien avec l'équité et la justice.

une contribution

dénoncer

un engagement

l'épanouissement

une promotion

Tu as aussi...

- utilisé différentes stratégies de lecture.

FAIS DES PRÉDICTIONS.

VÉRIFIE TES PRÉDICTIONS ET FAIS DE NOUVELLES PRÉDICTIONS.

FAIS DES LIENS.

Réfléchis à ta démarche de lecture

Décris une des stratégies que tu as utilisées pour comprendre un des textes de la section « Des gens qui luttent pour l'équité ». Explique comment cette stratégie t'a été utile. Comment pourrais-tu te servir de cette stratégie pour comprendre d'autres textes ?

16

Écris avec habileté

Dans la section «Des gens qui luttent pour l'équité», tu as lu des biographies. Analyse ces textes afin de dégager la structure d'une biographie.

La STRUCTURE du texte

■ Comment l'information est-elle **organisée** dans une biographie ?

Exprime-toi !

■ Qu'as-tu remarqué sur la façon d'écrire une biographie ?

■ Qu'est-ce qui distingue une biographie d'une autobiographie ?

■ Comment la personne qui a rédigé les biographies que tu as lues a-t-elle réussi à capter ton attention ?

■ Quelles sont les caractéristiques d'une biographie ? Dresses-en une liste.

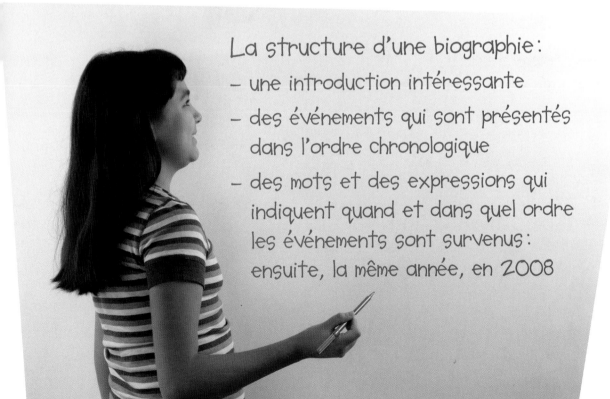

La structure d'une biographie :

– une introduction intéressante

– des événements qui sont présentés dans l'ordre chronologique

– des mots et des expressions qui indiquent quand et dans quel ordre les événements sont survenus : ensuite, la même année, en 2008

17

L'eau pour tous

par Albert J. Schumacher

Pourquoi est-ce important d'avoir accès à l'eau potable ?

Alors que plus de 70 % de la surface de la Terre est recouverte d'eau, la plus grande partie de celle-ci est inutilisable pour la consommation humaine. Selon le ministère de l'Environnement du Canada, les lacs d'eau douce, les rivières et les aquifères souterrains représentent seulement 2,5 % de l'approvisionnement en eau dans le monde. L'eau douce est non seulement rare, mais sa répartition est inégale. Selon des études réalisées par l'Organisation des Nations unies (ONU), qui comparent la consommation en eau et la disponibilité de celle-ci, entre deux et sept milliards de personnes feront face à une pénurie dans la deuxième moitié du XXIᵉ siècle.

Devant cette réalité, on comprend pourquoi l'eau a été décrite comme « le pétrole du XXIᵉ siècle », un bien rare qui sera une source de conflit entre les peuples et les nations. Et c'est loin d'être une exagération : en plus de ces prévisions alarmantes, l'ONU estime également que sur une population mondiale de plus de 6 milliards d'habitants, 1,2 milliard n'ont pas accès à l'eau potable et 2,4 milliards manquent de services d'assainissement adéquats.

Pour un grand nombre de Canadiens, ce concept est difficile à comprendre. En effet, le Canada bénéficie d'une abondance de ressources en eau potable, et il est le troisième pays au monde en matière d'approvisionnement en eau douce renouvelable, derrière le Brésil et la Russie. Le Canada possède 25 % des terres humides dans le monde, la plus grande superficie sur la planète. Près de 9 % de sa superficie totale, soit plus de 890 000 km², est recouverte d'eau douce. Mais en tant que pays prospère, riche en ressources d'eau, le Canada a la responsabilité morale de montrer l'exemple et de faire face au problème de la rareté de l'eau dans le monde. Il doit aider ses voisins à assurer un approvisionnement durable en eau potable dans leur pays, ainsi que des services d'assainissement adéquats.

OBSERVE LE TEXTE.
Quels moyens l'auteur utilise-t-il pour appuyer les faits présentés dans cette chronique journalistique ?

Il est donc urgent de prendre des mesures. Dans les pays en développement, 80 % des maladies sont transmises par l'eau. Le manque d'eau potable a des conséquences graves : 3,3 millions de personnes meurent chaque année des suites de maladies causées par la pénurie d'eau. Cependant, la pénurie d'eau a des conséquences plus graves que les maladies répandues dans les pays en développement. Si aucune mesure n'est prise, elle pourrait constituer le problème dominant de la première moitié du XXIe siècle. Il faut savoir qu'entre 1990 et 1995, la consommation en eau dans le monde a été multipliée par six, ce qui représente le double du taux de croissance de la population. Cela est dû en partie à la demande industrielle. Il faut, par exemple, 300 L d'eau pour produire 1 kg de papier, et 215 000 L pour produire 1 tonne d'acier. L'évolution de nos habitudes alimentaires a également des conséquences sur la consommation : il faut 15 000 tonnes d'eau pour produire 1 tonne de viande de bœuf, et 1000 tonnes pour produire 1 tonne de céréales.

Ce jeune garçon doit parcourir une longue distance pour obtenir de l'eau potable.

19

En Chine, on doit parfois faire la queue pour avoir de l'eau potable.

Avec l'industrialisation rapide de pays comme la Chine, l'Inde et le Mexique, cette consommation ne fera qu'augmenter. La Chine est un excellent exemple qui illustre le défi en matière de gestion de l'eau auquel nous faisons face au XXIe siècle. Elle compte environ 21 % de la population mondiale, mais elle n'a accès qu'à 7 % de l'eau douce de la planète. Cette situation s'est aggravée par son industrialisation rapide, la migration de millions de personnes des campagnes vers les villes, la croissance importante de la consommation domestique et l'évolution des habitudes alimentaires.

Devant les derniers développements et la pénurie potentielle d'eau qui se profile à l'horizon, l'ONU a lancé, en mars 2005, la Décennie internationale d'action : l'eau, source de vie, 2005-2015. L'objectif est d'attirer davantage l'attention sur les ressources en eau dans le monde. Nous ne devrions pas avoir besoin d'une déclaration de l'ONU stipulant que l'eau est un droit humain essentiel pour nous motiver. Nous devons appliquer ce que nous avons appris de nos expériences. Le gouvernement canadien a déjà pris les premières mesures, quoique très symboliques, qui permettront d'y parvenir. Le plan d'action de l'Agence canadienne de développement international (ACDI) concernant la santé et la nutrition, rendu public en novembre 2001, a prévu plusieurs domaines d'action, y compris l'amélioration de l'accès à l'eau salubre et à l'assainissement.

L'eau est essentielle à la survie humaine.

L'accès à l'eau potable doit être la préoccupation de tous.

Les fonds du Canada destinés aux programmes de santé et de nutrition dans les pays en développement ont plus que doublé pendant la période 2000-2005, passant de 152 millions à 305 millions de dollars par an, ce qui représente un investissement total de plus de 1,2 milliard de dollars en 5 ans. Il faut également noter que l'ACDI participe à un bon nombre de projets destinés à améliorer l'accès à l'eau salubre et à l'assainissement.

Au Honduras, par exemple, un projet rural d'approvisionnement en eau inclut la construction de latrines et de nouveaux systèmes d'alimentation en eau. Les populations locales sont formées pour assurer le stockage et la gestion de l'eau dans des conditions sanitaires, ainsi que la prévention des maladies. Les initiatives menées par l'ACDI illustrent l'engagement du Canada à aider les pays en développement à évaluer leurs besoins en matière d'eau potable et d'assainissement. Nous devrions et pourrions cependant faire plus.

Source: Albert J. SCHUMACHER, *L'eau pour tous – Vers un accès à l'eau potable et à l'assainissement*, © Organisation des Nations unies, Chroniques de l'ONU [en ligne]. (Consulté le 29 octobre 2009.) Reproduit avec autorisation.

VA PLUS LOIN.

1. Au Canada, la consommation d'eau par personne est plus élevée que dans la plupart des autres pays. D'après toi, est-ce que c'est juste ? Discutes-en avec un ou une camarade.

2. Sans un approvisionnement régulier en eau douce et saine, toute forme de vie sur la Terre disparaîtrait. En équipe, préparez une affiche pour encourager les gens à utiliser l'eau potable de manière respectueuse pour l'environnement.

Mon grand-père
Un combattant-né
Shack Jang Mack (1909—2003)

par Sharon Lem

OBSERVE LE TEXTE.

Comment le titre et les intertitres contribuent-ils à mettre en valeur les principaux événements du récit ?

Shack Jang Mack est né le 9 septembre 1909 au Canada.
Sur cette photo, on le voit avec sa petite-fille, Sharon Lem.

Certains de mes plus beaux souvenirs sont liés à mon grand-père. Grand-papa Mack adorait me faire rire. Je souris chaque fois que je pense à ses visites, quand il nous amenait, mes frères et moi, voir l'Exposition nationale canadienne.

En vieillissant, j'ai compris l'importance des expériences que grand-papa avait vécues. Depuis qu'il est mort, le 15 mars 2003 à l'âge de 94 ans, j'ai du chagrin mais, en même temps, je suis fière de dire qu'il était mon grand-père. Il était comme tous les autres grands-pères, sauf pour une chose : il est un symbole de la façon injuste dont les Chinois ont été traités au Canada au tournant du siècle.

L'arrivée au Canada

L'histoire de grand-papa Mack est aussi celle de nombreux immigrants et immigrantes canadiens. Son père, Mack Cheung Fun, est arrivé au Canada en 1865 afin de préparer la venue de grand-papa et de ses trois frères. Ils ont dû payer une taxe spéciale appelée la *taxe d'entrée*. Seuls les immigrants chinois devaient payer cette taxe, qui équivalait à environ deux années de salaire à l'époque. Le gouvernement espérait que cette taxe découragerait les Chinois d'immigrer au Canada.

Grand-papa a grandi au Canada, il est allé à l'école, il a appris l'anglais et il est devenu chef cuisinier. Après avoir travaillé quelques années, il avait économisé suffisamment d'argent pour ouvrir son premier restaurant. À cette époque, sa mère le pressait de retourner en Chine pour se marier. Grand-papa a fini par céder et il y est retourné en 1928.

> **As-tu déjà fait quelque chose pour corriger une injustice ?**

Construction du chemin de fer canadien

De 1881 à 1885, des milliers de travailleurs chinois sont venus au Canada pour participer à la construction du premier chemin de fer canadien. Beaucoup d'ouvriers sont morts en faisant ce travail. Une fois le chemin de fer terminé, le gouvernement a fait en sorte qu'il est devenu très difficile pour les Chinois de rester au Canada ou d'y faire venir leurs familles.

23

Certificat de taxe d'entrée.
Document authentique
à l'époque où le Canada
n'était pas encore
officiellement bilingue.

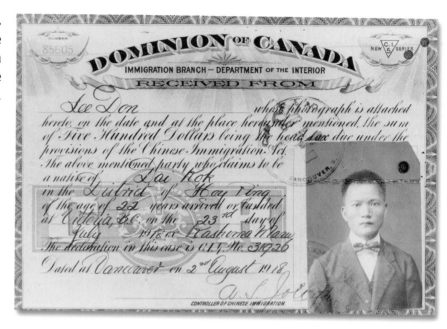

MÉDIA ACTION

Regarde trois bulletins
de nouvelles à la
télévision ou dans
Internet. Quels groupes
ethniques sont
représentés ? Les
bulletins de nouvelles
sont-ils représentatifs
de la diversité
canadienne ?

Il s'est fiancé à ma grand-mère, Gat Nuy Ng Shee. Mais grand-papa n'a pas pu ramener grand-mère au Canada avec lui. En 1923, le gouvernement a adopté la Loi d'exclusion des Chinois. Cette loi interdisait aux Chinois d'immigrer au Canada.

Grand-maman a donné naissance à son premier enfant, un garçon, alors que grand-papa était au Canada. Son fils est mort avant que grand-papa ait pu le prendre dans ses bras.

Va-et-vient

Durant les années où mon grand-père a vécu seul au Canada, il a ouvert des restaurants à différents endroits du Manitoba – The Pas, Sherrigordon, Cold Lake et Churchill – avant de s'établir à Tisdale, en Saskatchewan. Grand-papa cuisinait des steaks, des hamburgers, des frites et du pain doré. Graduellement, il a ajouté des mets plus exotiques à son menu, comme le chow mein. Il est devenu célèbre pour son incroyable gâteau au fromage.

Chaque fois qu'il quittait le Canada pour aller élever ses enfants en Chine, il vendait son commerce. Et il en ouvrait un nouveau à son retour. C'est arrivé cinq fois en plus de quatre décennies. Les noms de ses commerces changeaient.

Il y a eu d'abord le M.C. Café, puis le Elite Café, le Paris Café et le Roxy Café. Ma mère, Sue Lynn, est née pendant la période du Elite Café. Oncle Ted est né ensuite, suivi d'oncle Yow, de tante May et d'oncle Willie.

Se battre pour obtenir justice

Durant ses dernières années, mon grand-père s'est lancé dans la bataille contre la taxe d'entrée, avec l'aide du Conseil national des Canadiens chinois. Ils demandaient des excuses et une compensation de la part du gouvernement fédéral. C'était un petit montant, mais grand-papa jugeait que c'était important.

«Cela veut dire que le gouvernement du Canada reconnaît que je suis un égal. Qu'il est prêt à corriger une erreur», a-t-il déclaré.

Mais, avant même de commencer la bataille, grand-papa avait des doutes. «Je ne crois pas que le gouvernement fédéral me remboursera la taxe d'entrée avant ma mort, et je suis l'un des derniers survivants.»

Il avait raison.

Source : Traduction libre. Sharon LEM, «A Born Fighter, Grandpa Was the Last of His Kind», *Toronto Sun*, 31 mars 2003.

Le gouvernement du Canada présente ses excuses

Le 22 juin 2006, le gouvernement fédéral s'est excusé pour la taxe d'entrée et pour avoir banni les immigrants chinois en adoptant la Loi d'exclusion. Le gouvernement a aussi offert aux rares survivants et à leurs conjointes une compensation symbolique.

VA PLUS LOIN.

1. Avec un ou une camarade, présente les principaux événements de la vie de Shack Jang Mack dans un tableau. Dans la première colonne, notez l'événement. Dans la seconde, écrivez des mots et des phrases qui décrivent comment il a pu se sentir durant ces événements.

Événement	Ses sentiments et émotions

2. En équipe, rédigez la biographie d'une personne que vous connaissez et qui s'est battue pour la justice ou l'équité. Quelle était la situation ? Qu'a fait cette personne ? Comment s'est-elle sentie pendant et après ? Utilisez des intertitres pour mettre en valeur les principaux événements de son histoire.

UN MONDE

Comment une photo peut-elle transmettre un message sur l'équité ?

éQUItABLE !

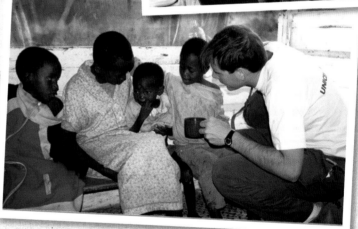

VA PLUS LOIN. ···

1. Discute avec un ou une camarade des photos présentées. De quelle manière illustrent-elles l'équité et la justice ? Échangez vos idées avec la classe.

2. En équipe, créez une affiche ou une représentation visuelle à l'aide de coupures de journaux et de magazines pour expliquer l'importance de l'équité dans le monde. Écrivez une légende ou un slogan pour accompagner votre affiche. Présentez votre travail à vos camarades.

Le savais-tu ?

OCÉAN ARCTIQ

AMÉRIQUE DU NORD

EURO

OCÉAN ATLANTIQUE

AFRIQU

Aux États-Unis

On compte 12 millions d'enfants qui souffrent de la pauvreté.

Environ 9 millions d'enfants n'ont pas de quoi manger chaque jour.

Près de 1,2 million d'enfants n'ont pas d'endroit où dormir tous les soirs.

AMÉRIQUE DU SUD

OCÉAN PACIFIQUE

Au Brésil

Il y a 7 millions d'enfants qui travaillent.

Dans le monde, 246 millions d'enfants travaillent pour survivre.

De ce nombre, 11 millions d'enfants de moins de 15 ans le font dans des conditions dangereuses.

ANT

En Inde

Seulement deux femmes sur cinq savent lire ou écrire.

Environ 40 % des Indiennes de moins de 14 ans ne vont pas à l'école.

Dans le monde, 64,9 millions de filles d'âge primaire ne vont pas à l'école.

28

En Mongolie

Des milliers d'enfants sont sans domicile.

Dans le monde, environ 100 millions d'enfants vivent dans les rues parce qu'ils sont victimes de la pauvreté.

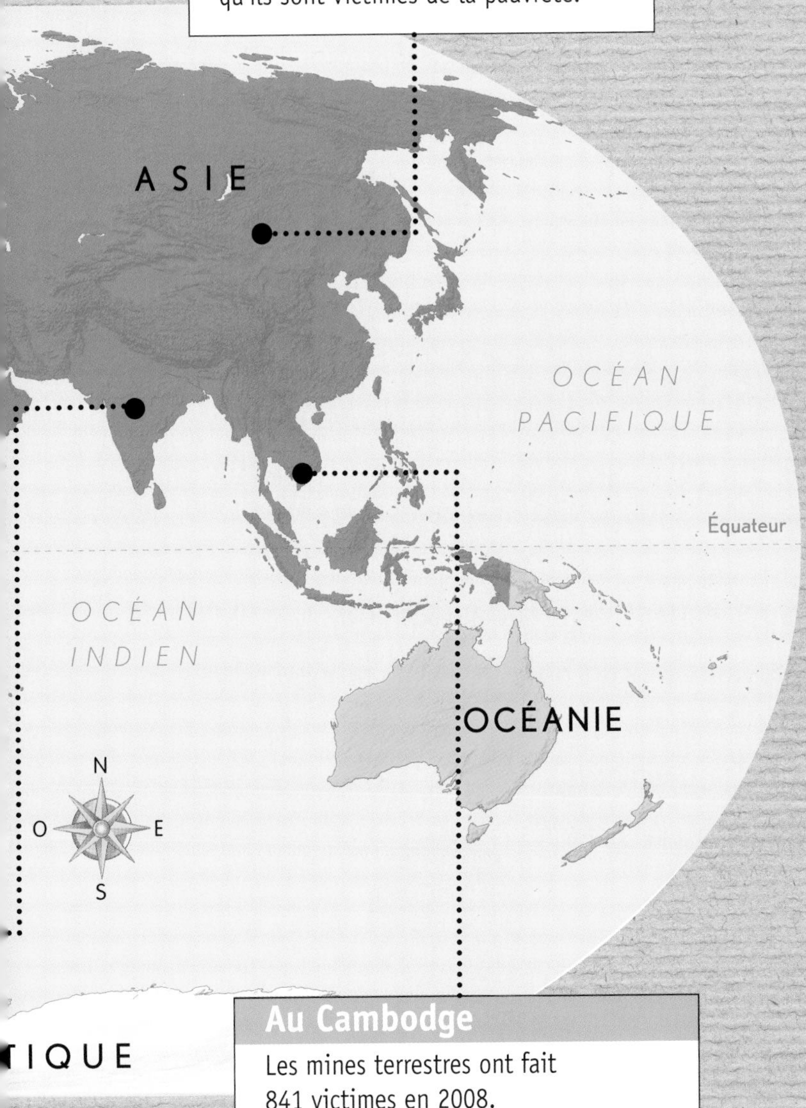

ASIE

OCÉAN PACIFIQUE

Équateur

OCÉAN INDIEN

OCÉANIE

N
O   E
S

Au Cambodge

Les mines terrestres ont fait 841 victimes en 2008.

Parmi ces victimes, 278 (soit 33 %) étaient des enfants.

Dans le monde, 8000 enfants sont tués ou mutilés chaque année par des mines terrestres.

TIQUE

Source: Organisation des Nations unies.

VA PLUS LOIN.

1. Discute avec un ou une camarade des données présentées. Qu'est-ce que ces données nous apprennent au sujet de l'équité dans le monde? Échangez vos idées avec la classe.

2. Les gens ont souvent besoin d'unir leurs efforts pour apporter des changements dans la société. En équipe, faites une recherche pour trouver une situation non équitable. Que pourriez-vous faire pour améliorer la situation? Présentez les résultats de votre recherche à la classe.

29

À l'œuvre !

La télévision est un média efficace pour faire connaître une personne qui a lutté pour l'équité ou la justice dans le monde. Durant une entrevue télévisée, l'animateur ou l'animatrice pose des questions pour présenter les réussites de la personne invitée. Parfois, d'autres invités sont amenés à raconter ce qu'ils savent de cette personne.

En équipe, préparez une entrevue télévisée avec une personne qui a lutté pour l'équité et la justice.

Planifiez votre entrevue.

Choisissez une personne qui a lutté pour l'équité ou la justice dans votre communauté ou dans le monde. En effectuant votre recherche, pensez aux éléments suivants :

- Que voulez-vous que les gens retiennent de cette personne ?
- De quels renseignements aurez-vous besoin pour raconter la vie de cette personne ?
- Où pourriez-vous trouver ces renseignements ?
- Qui jouera le rôle de la personne interviewée ?

Préparez votre entrevue.

- Rédigez un court texte biographique sur la personne que vous allez présenter. Expliquez brièvement comment elle a lutté pour l'équité et la justice.

- Préparez des questions intéressantes que vous pourriez poser à cette personne afin de capter l'attention des spectateurs et spectatrices.

- Écrivez le texte de l'animateur ou de l'animatrice et celui de la personne interviewée.

- Pensez à quelques questions que vous pourriez poser à vos camarades de classe après votre présentation afin de déterminer leur appréciation. Leurs réponses pourraient servir lorsque vous ferez un retour sur votre présentation.

- Exercez-vous à jouer vos rôles.

Présentez votre entrevue.

- Présentez votre entrevue à la classe.
- Invitez vos camarades de classe à poser des questions.
- À votre tour, posez des questions à vos camarades de classe afin de déterminer leur appréciation.

Faites un retour sur votre travail.

- Avez-vous bien réparti le travail ?
- Avez-vous fait une bonne recherche sur la personne présentée ?
- Avez-vous parlé assez fort pour que tout le groupe vous entende ?
- Avez-vous géré votre temps avec efficacité ?
- Votre présentation a-t-elle été appréciée ? Comment le savez-vous ?
- Que pourriez-vous améliorer la prochaine fois ?

Quelques CONSEILS

- Regardez une émission de télévision dans laquelle on interviewe une personne.

- Observez les moyens utilisés pour faire connaître cette personne (introduction par l'animateur ou l'animatrice de l'émission, présentation de photos, description des actions de la personne interviewée, etc.).

31

JUSTE et équitable

par Clay McLeod

Comment tes décisions d'achat peuvent-elles toucher la vie des gens ?

L'amère vérité sur le chocolat

OBSERVE LE TEXTE.
Quels mots et expressions sont employés pour exprimer des quantités ?

Le chocolat est la sucrerie préférée dans le monde. Nous en mangeons trois millions de tonnes chaque année. Pourtant, la plupart des personnes qui cultivent les fèves de cacao sont très pauvres.

Il y a tellement de gens qui cultivent le cacao dans le monde qu'il leur est difficile d'obtenir un juste prix pour leur récolte. Les grandes sociétés qui achètent le cacao peuvent facilement trouver des gens qui acceptent de vendre leur récolte à bas prix.

Puisque le cacao est bon marché, le salaire des personnes qui travaillent dans les plantations est très peu élevé. De nombreux enfants sont forcés de faire ce travail et ils ne peuvent donc pas aller à l'école. D'après les rapports de l'Organisation des Nations unies (ONU), plus d'un quart de million d'enfants travaillent dans des conditions dangereuses dans les plantations de cacao de l'Afrique de l'Ouest. Ils récoltent les fèves de cacao à l'aide de grands couteaux. Ils pulvérisent des pesticides toxiques sur les récoltes sans porter de masques. La plupart de ces enfants n'ont même jamais goûté à du chocolat.

Soixante-dix pour cent du chocolat consommé dans le monde vient de la côte ouest de l'Afrique. Le Canada achète pour des millions de produits du cacao de cette région chaque année. Aide à l'enfance Canada est un organisme qui encourage les Canadiens et Canadiennes à acheter du chocolat qui n'a pas été récolté par des enfants. Ce chocolat porte le *logo certifié équitable* sur son emballage.

Un garçon de 14 ans dégage un champ de cacao en Côte d'Ivoire. Environ 15 000 enfants vivant dans les pays les plus pauvres de l'Afrique de l'Ouest travaillent dans des plantations de cacao.

33

De la fève à la barre

Le délicieux cacao que tu aimes tant parcourt de grandes distances avant d'arriver au Canada.

Équateur

La plupart des pays producteurs de cacao se trouvent près de l'équateur.

 1

Le cacao vient du cacaoyer. Les cacaoyers poussent principalement en Afrique de l'Ouest, en Amérique du Sud et en Asie.

 2

Quand vient le temps de la récolte, on coupe les cabosses à l'aide de machettes.

 3

Puis on casse les cabosses pour en retirer les fèves.

34

Une fois que les fèves ont fermenté et séché au soleil, on les vend à une coopérative de commerce équitable. Les fèves sont expédiées dans des usines, généralement en Europe.

À l'usine, on fait rôtir les fèves avant de les moudre pour produire de la liqueur ou du beurre de cacao. La liqueur et le beurre sont ensuite mélangés avec d'autres ingrédients, comme le lait et le sucre, pour fabriquer le chocolat.

Les entreprises emballent le chocolat et le distribuent aux magasins où tu peux l'acheter.

35

Faire du commerce équitable

Logo de commerce équitable. Quand une grande société vend 100 barres de chocolat, environ 6 $ vont aux cultivateurs et cultivatrices. Quand une entreprise de commerce équitable vend 100 barres, c'est environ 35 $ qui vont aux cultivateurs et cultivatrices.

Une école soutenue par le commerce équitable.

Près d'un million de personnes participent au commerce équitable dans le monde. Elles croient que les gens devraient recevoir un juste prix pour leurs récoltes.

Les entreprises de commerce équitable garantissent aux gens qui produisent le cacao un juste prix pour leurs fèves. Elles leur assurent également qu'ils auront des acheteurs pendant les prochaines années. Grâce à cette garantie, les cultivateurs et cultivatrices peuvent emprunter l'argent nécessaire pour répondre aux besoins de leur famille.

Le chocolat fabriqué avec du cacao qui a été récolté par des enfants ne peut pas être certifié équitable. Les enfants peuvent aider dans la ferme familiale, mais les tâches dangereuses leur sont interdites et ils doivent aller à l'école. Au Canada, le logo de commerce équitable signifie également que les fèves de cacao ont été produites dans le respect de l'environnement. Le chocolat équitable coûte parfois un peu plus cher, mais les gens sont heureux de savoir que leur argent soutient l'équité dans le monde.

36

Où vont les profits du chocolat ?

Les *coyotes* (comme on les appelle en République dominicaine) sont des personnes qui font de l'argent en achetant les fèves de cacao à bas prix et en les revendant à un prix plus élevé. Au contraire, une entreprise de commerce équitable achète des fèves et les vend directement à une entreprise internationale qui fabrique le chocolat équitable. Ainsi, les profits de la vente des fèves vont au producteur ou à la productrice, et à la communauté – plutôt que dans les poches des coyotes.

Une BONNE façon de changer les choses

1. Passe le mot concernant les produits équitables :
   - Écris une lettre au rédacteur ou à la rédactrice en chef de ton journal local afin d'inciter les gens à acheter des produits équitables.
   - Écris une lettre à ton épicerie locale pour demander qu'on y vende des produits équitables.

2. Informe-toi sur le commerce équitable (dans Internet, à la bibliothèque, etc.).

Des travailleurs étendent les fèves de cacao pour les faire sécher au soleil.

Source : Traduction libre. Clay McLEOD, «Square and Fair», *Owl Magazine*, janvier-février 2005. Reproduit avec l'autorisation de Bayard Presse Canada inc.

VA PLUS LOIN.

1. Comment le commerce équitable change-t-il la vie des gens pauvres ? Discutes-en avec un ou une camarade.

2. En équipe, créez une annonce publicitaire qui pourrait être diffusée à la radio pour convaincre les gens d'acheter des produits équitables. Présentez votre annonce à la classe.

LE RACISME EXPLIQUÉ À MA FILLE

par Tahar Ben Jelloun

Comment te sens-tu lorsqu'on t'accepte dans un groupe ?

OBSERVE LE TEXTE.

Que remarques-tu au sujet de la façon d'écrire une pièce de théâtre ? En quoi une pièce de théâtre est-elle différente d'une histoire ?

Un père est assis sur le canapé du salon. Sa jeune fille vient s'asseoir à ses pieds.

LA JEUNE FILLE: Dis, Papa, c'est quoi le racisme ?

LE PÈRE: Le racisme est un comportement assez répandu, commun à toutes les sociétés, devenu, hélas !, banal dans certains pays parce qu'il arrive qu'on ne s'en rende pas compte. Il consiste à se méfier, et même à mépriser, des personnes ayant des caractéristiques physiques et culturelles différentes des nôtres.

LA JEUNE FILLE: Quand tu dis «commun», tu veux dire normal ?

Souriant.

LE PÈRE: Non. Ce n'est pas parce qu'un comportement est courant qu'il est normal. En général, l'être humain a tendance à se méfier de quelqu'un de différent de lui, un étranger par exemple. C'est un comportement aussi ancien que l'être humain; il est universel. Cela touche tout le monde.

Étonnée.

LA JEUNE FILLE: Si ça touche tout le monde, je pourrais être raciste !

D'un ton rassurant.

LE PÈRE: D'abord, la nature spontanée des enfants n'est pas raciste. Un enfant ne naît pas raciste. Si ses parents ou ses proches n'ont pas mis dans sa tête des idées racistes, il n'y a pas de raison pour qu'il le devienne. Si, par exemple, on te fait croire que ceux qui ont la peau blanche sont supérieurs à ceux dont la peau est noire, si tu prends au sérieux cette affirmation, tu pourrais avoir un comportement raciste à l'égard des Noirs.

39

Songeuse.	**LA JEUNE FILLE:** C'est quoi être supérieur ?
Content de la curiosité de sa fille.	**LE PÈRE:** C'est, par exemple, croire, du fait qu'on a la peau blanche, qu'on est plus intelligent que quelqu'un dont la peau est d'une autre couleur, noire ou jaune. Autrement dit, les traits physiques du corps humain, qui nous différencient les uns des autres, n'impliquent aucune inégalité.
Inquiète.	**LA JEUNE FILLE:** Tu crois que je pourrais devenir raciste ?
Il marche dans le salon, puis revient s'asseoir sur le canapé.	**LE PÈRE:** Le devenir, c'est possible; tout dépend de l'éducation que tu auras reçue. Il vaut mieux le savoir et s'empêcher de l'être, autrement dit accepter l'idée que tout enfant ou tout adulte est capable, un jour, d'avoir un sentiment et un comportement de rejet à l'égard de quelqu'un qui ne lui a rien fait mais qui est différent de lui. Cela arrive souvent. Chacun d'entre nous peut avoir, un jour, un mauvais geste, un mauvais sentiment. On est agacé par un être qui ne nous est pas familier, on pense qu'on est mieux que lui, on a un sentiment soit de supériorité, soit d'infériorité par rapport à lui, on le rejette, on ne veut pas de lui comme voisin, encore moins comme ami, simplement parce qu'il s'agit de quelqu'un de différent.
Elle s'assoit près de son père.	**LA JEUNE FILLE:** Différent ?
	LE PÈRE: La **différence**, c'est le contraire de la ressemblance, de ce qui est identique. La première différence manifeste est le sexe. Un homme se sent différent d'une femme. Et réciproquement. Par ailleurs, celui qu'on appelle «différent» a une autre couleur de peau que nous, parle une autre langue, cuisine autrement que nous, a d'autres coutumes, une autre religion, d'autres

40

façons de vivre, de faire la fête, etc. Il y a la différence qui se manifeste par les apparences physiques (la taille, la couleur de la peau, les traits du visage, etc.), et puis il y a la différence du comportement, des mentalités, des croyances, etc.

Elle se lève à son tour.

LA JEUNE FILLE: Alors, le raciste n'aime pas les langues, les cuisines, les couleurs qui ne sont pas les siennes ?

LE PÈRE: Non, pas tout à fait ; un raciste peut aimer et apprendre d'autres langues parce qu'il en a besoin pour son travail ou ses loisirs, mais il peut porter un jugement négatif et injuste sur les peuples qui parlent ces langues. De même, il peut refuser de louer une chambre à un étudiant étranger, vietnamien par exemple, et aimer manger dans des restaurants asiatiques. Le raciste est celui qui pense que tout ce qui est trop différent de lui le menace dans sa tranquillité.

Les deux personnages font une pause… jusqu'à la prochaine question de la jeune fille.

Source: Tahar BEN JELLOUN, *Le racisme expliqué à ma fille*, Paris, Éditions du Seuil, 2004, p. 11 à 14. Les indications concernant la mise en scène sont des ajouts au texte de l'auteur.

VA PLUS LOIN. ···

1. À ton avis, quels facteurs peuvent faire en sorte qu'une personne devienne raciste ? Discutes-en avec un ou une camarade.

2. En équipe, préparez un théâtre de lecteurs à partir de cette saynète. Présentez votre travail à d'autres équipes ou à une autre classe.

41

Le géant chevelu

par Léo-James Lévesque

Comment peux-tu t'assurer qu'une entente soit équitable ?

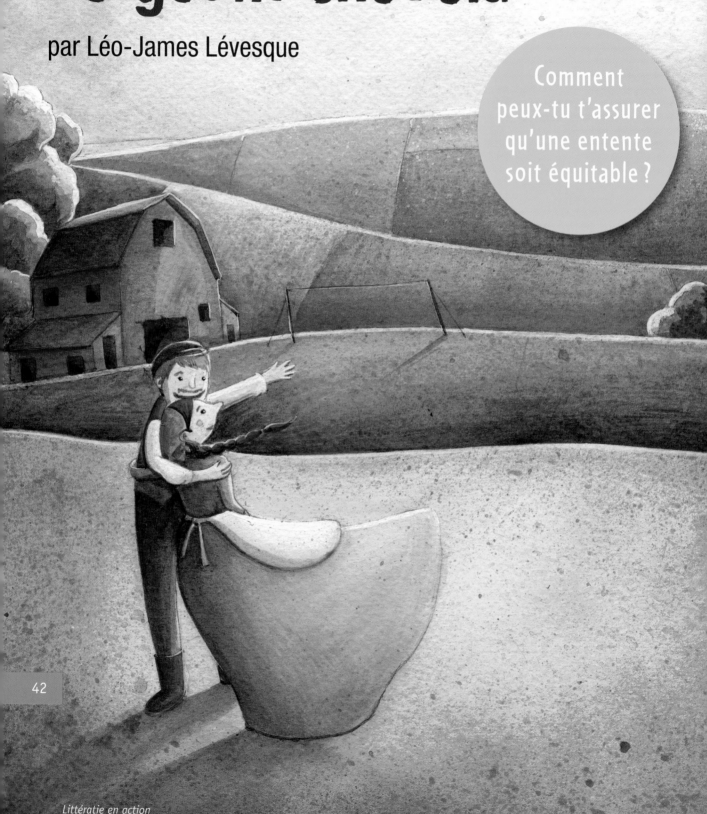

OBSERVE LE TEXTE.

Quelles figures de style l'auteur utilise-t-il dans ce conte pour t'aider à visualiser le texte (ex. : des métaphores, des comparaisons) ?

Il y a bien longtemps en Irlande vivait un couple de fermiers nommés Lucan et Ailisa. Un jour, Lucan et Ailisa ont acheté une ferme pour presque rien.

— Pourquoi cette ferme est-elle si bon marché ? s'étonne Ailisa.

Ailisa n'en croit pas ses yeux tellement les champs sont beaux et grands ! Elle ajoute :

— Es-tu bien certain, Lucan, que cette ferme est vraiment à nous ?

— Je t'assure, Ailisa, la maison et ces immenses champs nous appartiennent ! répond Lucan. En plus, c'est une bonne terre et la ferme est rien qu'à nous !

— Tu veux dire à moi, affirme une personne avec une voix très grave, derrière le couple.

Lucan et Ailisa se retournent aussitôt. Ils sont bien surpris de voir derrière eux un énorme géant chevelu au nez rond et rouge comme une tomate. Ses cheveux se dressent sur sa tête comme les piquants d'un porc-épic, et ses oreilles sont aussi pointues que la lame d'un couteau ! Ce géant chevelu est sale comme un cochon couvert de boue dans une porcherie. De larges bretelles retiennent son pantalon qui ne sent pas les roses. Ses coudes et ses genoux poilus passent à travers les trous de ses vêtements.

43

— Allez-vous-en d'ici! crie le géant chevelu avec sa grosse voix. Cette ferme m'appartient!

— Votre ferme?! Que dites-vous là? demande Lucan.

— Oui, ma ferme, et celle de mon père avant moi! répond le géant.

— Vous plaisantez sûrement! reprend Lucan. Nous venons d'acheter cette ferme! Elle est à ma femme et moi! Un jour, elle sera à nos enfants, puis à nos petits-enfants.

— Partez d'ici! hurle le géant. J'étais là avant vous.

— Jamais! rétorque Ailisa, d'un ton déterminé. Cette ferme est à nous et nous y restons!

Lucan et le géant se regardent d'un air furieux. Ni l'un ni l'autre ne veut céder.

— Il y a peut-être une solution, Lucan, propose Ailisa. Nous semons et nous moissonnons. Ensuite, nous partageons la récolte avec monsieur le géant. C'est juste, non?

Lucan ne voit pas comment ce marché serait équitable. Ailisa, d'un geste de la main, lui impose le silence et continue sa proposition:

— Quelle moitié de la récolte voulez-vous, monsieur le géant? Le dessus ou le dessous?

— Le quoi? demande le géant.

— Voulez-vous ce qui pousse au-dessus de la terre ou ce qui pousse dans la terre? Décidez et mettons fin à cette dispute, insiste Ailisa.

— Alors, je prendrai le dessus, dit le géant en riant. Vous pouvez garder les racines!

Sur ces paroles, Lucan et Ailisa serrent la main du géant pour conclure l'entente, et le géant s'en va.

— Parfait, s'enthousiasme Ailisa après le départ du géant. Nous allons planter des pommes de terre!

Durant les semaines suivantes, Lucan et Ailisa se partagent le travail de la ferme. Le champ est bientôt rempli de plants de pommes de terre. Lors de la récolte, le géant chevelu revient à la ferme pour réclamer sa part.

— Vous voilà! s'exclame Lucan. Vous vouliez le dessus, alors prenez-le. Les tiges sont un peu sèches, mais elles sont à vous.

45

— Ce n'est pas juste ! conteste le géant chevelu. Je vais…

— Mais, monsieur le géant, nous avons conclu un marché. Alors, prenez vos tiges et partez d'ici, dit Lucan d'un ton déterminé.

— Grrr ! gronde le géant chevelu. Je vous aurai l'an prochain !

— Quelle moitié voulez-vous l'an prochain ? demande alors Ailisa.

— Mais les racines, bien sûr ! crie le géant. Vous pourrez garder les tiges sèches, la prochaine fois !

Et sur ces paroles, le géant disparaît dans la forêt.

— Eh bien, nous allons planter du blé, décide Ailisa. Le géant aura les racines.

Au moment de la moisson, le champ est comme un tapis doré au soleil. Le géant vient alors réclamer la moitié de la récolte.

— Prenez tout ce qui vous appartient, monsieur le géant, l'invite Lucan. Nous gardons les tiges et vous prenez les racines.

Le nez rond du géant devient encore plus rouge. Le géant chevelu est en colère !

— Vous m'avez de nouveau trompé ! Je vais…

— Mais, monsieur le géant, un marché, c'est un marché, l'interrompt Lucan d'un ton sec.

— C'est d'accord, fermier ! hurle le géant. Vous avez gagné, mais l'an prochain, vous sèmerez de l'orge. Nous nous partagerons la récolte. Vous partirez du pied de la colline, et je partirai du haut de la colline. Nous garderons chacun la partie que nous réussirons à couper.

Lucan regarde les bras du géant.

— Mais ce n'est pas juste ! réplique Lucan. Avec vos grands bras, vous pourrez couper l'orge plus vite que moi.

— Je sais ! dit le géant, en riant avant de disparaître dans la forêt.

Lucan va raconter à Ailisa sa rencontre avec le géant.

— Tu te rends compte qu'il va couper l'orge plus vite que moi. Il a de si longs bras ! J'ai l'impression qu'il va gagner cette fois.

— Mais non, mon cher époux, le rassure Ailisa. J'ai une idée. Nous allons planter des tiges de fer parmi l'orge, dans la partie du champ que le géant aura à couper.

— J'espère que le géant n'a pas une femme aussi intelligente que toi ! rigole Lucan.

Le jour de la récolte, Lucan et le géant
commencent à couper l'orge. Lucan part du pied de la colline,
et le géant du haut de la colline. Lucan coupe les plants sans problème.
L'orge tombe tout autour de lui. De son côté, le géant a bien de la
difficulté. Il transpire, et il doit s'arrêter continuellement pour aiguiser
sa faux. Il est trop bête pour remarquer les tiges de fer. Après un bon
moment, le géant chevelu hurle :

— J'en ai assez de cette orge dure ! C'est trop de travail pour moi !
Vous pouvez garder la ferme et ces champs incultivables !

Depuis ce jour, le géant chevelu n'est jamais revenu. Lucan et Ailisa
sont très heureux. Ils habitent toujours la ferme et produisent de bonnes
récoltes chaque année.

Source : Inspiré d'un conte traditionnel raconté par le père de l'auteur.

VA PLUS LOIN. ●●●●●●●●●●●●●●●●●●●●●●●●●●●●●●●●●●●●●●●

1. Imagine que tu es un des personnages de ce conte. Écris une page
   de ton journal personnel pour donner ton point de vue sur cette situation.
   Échange ton travail avec celui d'un ou d'une camarade.

2. En équipe, écrivez un scénario et présentez ce conte sous forme de saynète.

À ton tour !

C'est à ton tour de mettre en application ce que tu as appris sur l'équité et la justice. Conçois un prix ou un trophée pour honorer une personne qui a lutté pour l'équité et la justice dans le monde. Tu peux choisir une personne mentionnée dans ce module ou une autre personne sur laquelle tu as fait une recherche.

Prépare ta présentation.

- Détermine le nom que portera le prix ou le trophée.
- Dresse une liste des critères pour recevoir ce prix ou ce trophée.
- Dresse une liste de faits importants de la vie de la personne à qui ce prix ou ce trophée sera attribué.

Présente ton prix.

- Présente ton prix ou ton trophée et explique la raison pour laquelle il est attribué.
- Parle clairement pour que ton public t'entende bien.
- Présente la biographie de la personne à qui ce prix ou ce trophée est attribué.
- Présente les critères requis pour gagner ce prix.
- Demande à ton auditoire de suggérer d'autres personnes qui pourraient mériter ce prix ou ce trophée.

48

Gros plan sur tes **apprentissages**

Prépare-toi.

- Rassemble tes notes et les travaux réalisés dans ce module.

Réfléchis et discute.

Travaille avec un ou une camarade.

- Ensemble, lisez les objectifs d'apprentissage présentés à la page 2.

- Évalue ton travail. As-tu atteint les objectifs ?

- Trouve des exemples qui montrent que tu as atteint les objectifs.

Fais tes choix.

- Choisis deux travaux qui montrent que tu as atteint les objectifs d'apprentissage. Un même travail peut montrer que tu as atteint plusieurs objectifs.

Justifie tes choix.

- Décris ce que chaque travail montre au sujet de tes apprentissages.

Mes choix	J'ajoute ces travaux à mon portfolio parce que…

Réfléchis.

- Qu'as-tu appris sur les biographies et sur les personnes qui ont lutté pour l'équité et la justice dans le monde ?

- Que signifie pour toi le mot *équité* ?

- Quels textes ou quelles activités as-tu le plus aimés ? Lesquels t'ont le plus fait réfléchir ?

L'art de l'**image**

OBJECTIFS D'APPRENTISSAGE

Dans ce module, tu vas faire les tâches suivantes:

- écouter, lire et écrire des entrevues de gens qui travaillent derrière les images;

- lire une variété de textes sur le thème de l'image, dont des reportages, des entrevues, une marche à suivre, des calligrammes, un plan de montage et un récit fantastique;

- concevoir le scénario d'un documentaire traitant d'une profession;

- présenter un récit, un poème ou une chanson à l'aide d'un roman-photo.

un, une bédéiste
des effets spéciaux
un metteur en scène,
une metteure en scène
une photo truquée
un, une photographe
le pouvoir de l'image

51

Effets SPÉCIAUX

par Chelsea Donaldson

Comment les images qu'on voit à l'écran sont-elles créées ?

Les spécialistes en effets spéciaux sont les personnes qui donnent vie aux scènes que nous voyons au cinéma et à la télévision.

Après avoir déterminé l'effet recherché, l'expert ou l'experte en effets spéciaux doit trouver le moyen de le réaliser. Par exemple, il faut peut-être recréer des conditions climatiques extrêmes, comme une tempête ou une tornade, à l'intérieur d'un studio. Comment y arrive-t-on ?

52

LE BLIZZARD

Sur la photo ci-contre, la jeune fille semble être au beau milieu d'un vilain blizzard. Mais comme tu peux le voir sur la photo ci-dessus, en réalité, elle est en parfaite sécurité à l'intérieur d'un studio de cinéma. La *neige* sous ses pieds n'est que du sel. Et les glaçons sont en plastique.

Créer une tempête dans un studio est un processus complexe. Une personne fait fonctionner une machine qui utilise de l'eau et de la glycérine (un liquide épais) pour créer du brouillard. Une autre entasse des flocons en plastique et en papier dans une machine à faire du vent. Quelqu'un d'autre encore règle l'éclairage pour recréer la lumière d'une journée de tempête de neige.

A Le cadre de fenêtre tient en place grâce à des attaches.

B On envoie les faux flocons dans la machine à faire du vent.

C Quelqu'un jette d'autre *neige* à l'arrière.

D Une personne fait fonctionner la machine à brouillard.

53

UNE TORNADE TERRIFIANTE

Autrefois, on utilisait des machines à produire du brouillard pour créer des tornades. Aujourd'hui, l'imagerie par ordinateur permet de simuler d'impressionnantes tornades en quelques clics de souris. Grâce à cette technologie, on peut combiner des images de véritables tornades avec des images numériques. Le résultat donne des scènes saisissantes.

UN ORAGE ÉLECTRISANT

Les orages peuvent être spectaculaires, mais ils sont difficiles à filmer. Les génies de l'informatique utilisent plutôt des ordinateurs pour recréer l'effet d'un éclair ramifié. Le bruit du tonnerre est ajouté en studio. Ces effets produisent des orages impressionnants!

54

LA TEMPÊTE TROPICALE

Les effets spéciaux ne sont pas tous créés en studio. Certains films sont tournés dans un décor naturel. L'équipement, les acteurs et actrices et l'équipe doivent parfois être déplacés dans d'autres parties du monde. Dans la scène présentée ci-dessus, les acteurs devaient descendre une rivière sur un radeau en pleine tempête tropicale. La mer était calme le jour du tournage. Alors, l'équipe a créé des vents forts et des eaux tumultueuses.

A L'équipe de tournage emballe le moteur du bateau pour créer de la turbulence dans l'eau.

B D'énormes machines produisent du vent.

C Des caméras étanches captent les gros plans.

D L'ingénieur du son doit se rapprocher des acteurs.

PARLONS-EN!

- Avec un ou une camarade, discute des effets spéciaux que vous avez vus dans un film, à la télévision ou au cinéma. Comment ces effets spéciaux ont-ils rendu le film plus intéressant?

- Selon toi, est-ce toujours approprié d'apporter des changements à une photo? En équipe, trouvez et présentez des photos qui ont été truquées. Comment savez-vous qu'elles ont été retouchées?

55

Lire une entrevue

Une entrevue est une rencontre au cours de laquelle on pose
des questions à une personne. Souvent, l'intervieweur
ou l'intervieweuse enregistre les réponses de la personne
interviewée et prend des notes. Parfois, l'entrevue est transcrite
et publiée dans une revue ou un journal.

Exprime-toi !

Travaille avec un ou une camarade. Discutez d'une entrevue que
vous avez lue ou entendue au sujet d'une personne.

- Dans quel but ou dans quelles situations fait-on une entrevue ?
- Pourquoi voudrait-on interviewer une personne ?
- Qu'est-ce qui rend une entrevue intéressante ?
- Où peux-tu trouver
  des entrevues ?

Voici quelques
indices.

RADIO-CANADA
TÉLÉVISION

Ensemble, dressez la liste des personnes que vous aimeriez
interviewer. Notez leur domaine d'activité et la raison pour laquelle
il serait intéressant de les interviewer.

Nom de la personne	Domaine	Raison de l'entrevue
Willie O'Ree	Sport	Le premier Noir à jouer pour la Ligue nationale de hockey
Emily Stowe	Science	La première femme étant devenue médecin au Canada

Lis avec habileté

> Je vois une différence entre la langue écrite et la langue parlée. Et toi ?

Précise ton intention.

- Pourquoi lis-tu des entrevues ?

Décode le texte.

- Une entrevue suit les conventions et la structure de la langue parlée. Utilise tes connaissances de la langue française pour comprendre le sens d'une entrevue. Quelles expressions de la langue parlée peux-tu relever dans la transcription d'une entrevue ?

Construis le sens du texte.

Applique les stratégies suivantes lorsque tu lis des entrevues.

UTILISE TES CONNAISSANCES.	Que connais-tu déjà au sujet de la personne présentée dans cette entrevue ? Que connais-tu sur le sujet présenté ?
DÉTERMINE CE QUI EST IMPORTANT.	Qu'est-ce que cette entrevue a appris aux lecteurs ou lectrices ? Quelle information pourrait être utile à un ou à une camarade qui voudrait en apprendre davantage sur le sujet présenté ?
ÉVALUE LE MESSAGE.	Réfléchis au message transmis. Comment l'information fournie pourrait-elle te servir ?

Analyse le texte.

- En quoi les questions posées dans une entrevue sont-elles importantes ?
- Comment une entrevue peut-elle révéler la personnalité de la personne interviewée ?

57

RENCONTRE AVEC
un photographe

*T*u as sans doute déjà eu l'occasion de feuilleter un magazine. En balayant du regard les pages du magazine, tu as vu les images. Tu en as regardé certaines avec indifférence. D'autres ont su capter ton attention. Tu connais certainement l'expression «une image vaut mille mots», mais qui sont les gens derrière les images de ton magazine ? *Info-Jeunesse* a rencontré pour toi le photographe Fabien Sontravail afin d'en découvrir davantage sur cette profession fascinante.

UTILISE TES CONNAISSANCES.

Que connais-tu du sujet présenté ?

INFO-JEUNESSE: Bonjour, Fabien Sontravail ! Pouvez-vous nous expliquer comment vous êtes devenu photographe ?

FABIEN SONTRAVAIL: Je dois dire que la photographie m'a toujours intéressé. Vers l'âge de 10 ans, mon père a commencé à me prêter son appareil photo. Puis, au début du secondaire, mon oncle m'a offert un appareil photo en cadeau. J'ai alors décidé de suivre des cours pour apprendre les rudiments de la photo. C'est à ce moment que je suis devenu un passionné ! *(Sourires et yeux rêveurs.)* Peu après, mon père a installé une chambre noire à la maison. J'y ai passé des heures à développer mes photographies.

I.-J.: Quels conseils pourriez-vous donner à nos lecteurs et lectrices qui souhaiteraient devenir photographes ?

F. S.: Je leur dirais de faire beaucoup de lecture, d'observer le travail d'autres photographes, en librairie ou dans Internet, et d'expérimenter avec leur appareil photo. Durant ma carrière, j'ai rencontré des photographes passionnés qui m'ont donné de précieux conseils, que ce soit au niveau de la lumière ou sur la façon de choisir de beaux endroits à photographier. En fait, un photographe du Nouveau-Brunswick qui m'a beaucoup influencé est Freeman Patterson. Il m'a fait découvrir des paysages impressionnants de la région atlantique. On sent beaucoup d'émotion dans son travail et ses photos font rêver de voyages.

DÉTERMINE CE QUI EST IMPORTANT.
Quelles qualités sont utiles pour exercer cette profession ?

I.-J.: D'après vos photos, je sais que vous voyagez beaucoup. Au niveau de la communication, comment avez-vous fait pour franchir la barrière de la langue ?

F. S.: Je m'efforce chaque fois de parler un peu la langue locale. Cependant, de plus en plus de gens connaissent le français et l'anglais. Aussi, il faut bâtir une certaine relation avec les gens. À mon avis, c'est très important si on veut transmettre un véritable message dans les photos.

I.-J.: Y a-t-il des photographes qui vous inspirent dans votre création personnelle ?

F. S.: Certainement ! J'aime beaucoup le travail de François Busque. Il fait de magnifiques reportages photos comme ceux que l'on trouve dans certains magazines pour les jeunes. Il y a aussi Patrick Sanfaçon, l'homme qui est derrière une bonne quantité d'images que vous regardez tous les jours dans *La Presse* ou dans la version électronique *Cyberpresse*. Enfin, je dois mentionner encore Freeman Patterson.

ÉVALUE LE MESSAGE.
Comment l'information présentée dans cette entrevue pourrait-elle te servir ?

I.-J.: Fabien Sontravail, merci de nous avoir accordé cette entrevue.

F. S.: Ça m'a fait plaisir.

59

RENCONTRE AVEC
une metteure en scène

*A*s-tu déjà eu l'occasion d'aller au cinéma ? Comme tu le sais probablement, on éprouve toutes sortes d'émotions au cinéma: on rit, on pleure, on a peur. Ces émotions sont suscitées par le contenu, le décor, les costumes et la musique, mais aussi par le jeu des acteurs et actrices et par la mise en scène. Qui sont les gens derrière l'image que tu vois au cinéma ? *Info-Jeunesse* a rencontré pour toi la metteure en scène Nataniya Lumière afin de mieux comprendre cette profession.

INFO-JEUNESSE: Bonjour, Nataniya Lumière ! Pouvez-vous nous dire comment vous êtes devenue metteure en scène ?

NATANIYA LUMIÈRE: J'ai toujours aimé le théâtre et le cinéma. Très jeune, j'accompagnais mes parents au cinéma. Pour moi, c'était une sortie exceptionnelle. J'ai commencé à jouer au théâtre à l'âge de huit ans dans une pièce à l'école. C'était toute une expérience ! *(Rires.)* Même si mon enseignant était le metteur en scène, moi, j'adorais lui donner des conseils. C'est alors qu'il m'a expliqué comment on écrit un texte dramatique. En examinant le texte, j'ai pu voir qu'en plus des paroles que doivent prononcer les comédiens, il y a également des indications d'action, de jeu ou de mise en scène. Ces indications s'appellent des *didascalies*. C'était le début de mon intérêt pour la mise en scène. À l'âge de 21 ans, je suis devenue

60

comédienne professionnelle et j'ai joué au cinéma.
Ensuite, je suis devenue réalisatrice au cinéma et
metteure en scène au théâtre.

DÉTERMINE CE QUI EST IMPORTANT.

Quelles qualités sont utiles pour exercer cette profession ?

I.-J. : Quels conseils pourriez-vous donner à nos lecteurs
et lectrices qui souhaiteraient travailler un jour dans
la réalisation ou la mise en scène ?

N. L. : Pour moi, la réponse est simple. Il faut, bien sûr, aimer le cinéma,
le théâtre et la photographie, mais avant tout, il faut aimer travailler
avec des gens qui peuvent parfois être difficiles à diriger. *(Rires.)*
Sérieusement, il faut avoir beaucoup d'énergie créatrice à partager.
C'est un travail de création. D'ailleurs, le cinéma est une forme d'art
qui a des répercussions sociales !

I.-J. : Y a-t-il des metteurs en scène ou des réalisateurs qui vous inspirent
dans votre création personnelle ?

N. L. : Mais oui, c'est sûr ! Je pense à Denise Filiatrault qui a été
réalisatrice au cinéma et metteure en scène au théâtre. Comme moi,
elle a développé ses talents de metteure en scène à partir de
son expérience d'actrice et de comédienne. Elle a même reçu
le Prix du Gouverneur général pour les arts de la scène. Il y a
aussi James Cameron, le réalisateur du film *Avatar*. Comme
vous le savez peut-être, ce réalisateur, scénariste et producteur
canadien est né à Kapuskasing, en Ontario. Le travail de ces
deux Canadiens a sûrement marqué ma façon de voir les images
sur le grand écran.

ÉVALUE LE MESSAGE.

Comment l'information présentée dans cette entrevue pourrait-elle te servir ?

I.-J. : Nataniya Lumière, merci de nous avoir accordé cette entrevue.

N. L. : C'est toujours un plaisir de parler de ma passion. Bon cinéma !

61

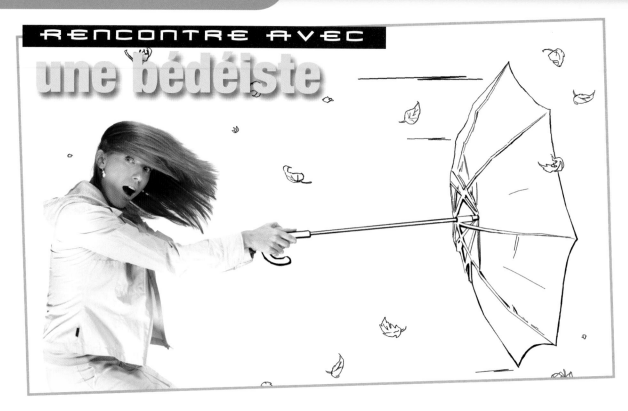

RENCONTRE AVEC
une bédéiste

*T*u connais peut-être déjà Les Nombrils *ou* Mafalda. *Ou encore, tu as déjà lu un album de* Tintin, *d'*Astérix *ou de* Peanuts. *Pour faire une bande dessinée, il faut une histoire avec un personnage principal, un crayon à mine, une gomme à effacer, quelques crayons de couleur et du papier. On appelle bédéiste une personne qui crée des bandes dessinées. Mais qui sont les gens derrière ces images?* **Info-Jeunesse** *a rencontré pour toi la bédéiste Béa Déry afin d'en apprendre un peu plus à propos de cette profession passionnante.*

INFO-JEUNESSE : Bonjour, Béa Déry ! Pouvez-vous nous dire ce qui vous a amenée à devenir bédéiste ?

BÉA DÉRY : J'ai toujours été fascinée par la bande dessinée. Vers l'âge de huit ans, je feuilletais des BD et me laissais transporter par les images. J'y ai pris goût et je suis devenue une passionnée de BD. Pour moi, être bédéiste, c'est plus qu'exercer une profession, c'est vivre ma passion !

I.-J. : À quel âge avez-vous commencé à dessiner de la BD professionnellement ?

B. D. : J'ai fait mon premier album à l'âge de 12 ans. J'ai été influencée par quelques exemplaires de *Spiderman* que mon père m'avait donnés. Ma première BD racontait les aventures d'un superhéros nommé Point D'exclamation. Elle a été publiée dans le journal de mon école. J'ai ensuite continué à créer mes propres personnages.

I.-J.: Quels conseils pourriez-vous donner à nos lecteurs et lectrices qui souhaiteraient devenir bédéistes ?

B. D.: Je leur dirais d'abord que tout est possible dans une bande dessinée. C'est ce qui rend le travail de bédéiste intéressant. Le personnage principal peut être une personne, un animal ou une chose qui existe ou qui sort tout droit de l'imagination. Le récit peut se dérouler n'importe où. Je leur dirais de laisser aller leur imagination et de penser à une aventure extraordinaire que pourrait vivre leur héros ou leur héroïne.

I.-J.: Y a-t-il des bédéistes qui vous inspirent dans votre création personnelle ?

B. D.: Il y en a plusieurs, mais à des niveaux différents. J'adore *Les Nombrils* de Maryse Dubuc et de Marc Delafontaine. Leurs albums sont formidables. Les illustrations captent l'attention des lecteurs. J'aime aussi les albums de Tristan Demers. Son Gargouille est un des personnages les plus populaires de la bande dessinée québécoise. Il est même édité en Europe. Comme moi, Tristan a commencé très jeune. Il n'avait que 10 ans lorsqu'il a publié son héros ! Aujourd'hui, il a quelques projets d'émissions de télévision et même de DVD.

I.-J.: Pour conclure sur une note amusante, si vous étiez un personnage de BD, lequel seriez-vous ?

B. D.: Je crois que je serais Mafalda. Je vous laisse deviner pourquoi ! *(Rires.)*

I.-J.: Merci beaucoup, Béa Déry ! Bon succès !

B. D.: De rien. Ce fut un véritable plaisir.

DÉTERMINE CE QUI EST IMPORTANT.
Quelles qualités sont utiles pour exercer cette profession ?

ÉVALUE LE MESSAGE.
Comment l'information présentée dans cette entrevue pourrait-elle te servir ?

63

Fais un retour sur tes apprentissages

Je crois qu'une bande dessinée est un excellent moyen de transmettre un message. Qu'en penses-tu ?

Tu as...

- parlé du pouvoir de l'image;
- lu des entrevues à propos de gens qui travaillent derrière les images que tu vois;
- appris des mots nouveaux et des expressions au sujet de professions intéressantes liées à l'image.

créer des personnages

vivre sa passion   capter l'attention

avoir de l'énergie créatrice

transmettre un message

Tu as aussi...

- utilisé différentes stratégies de lecture.

UTILISE TES CONNAISSANCES.

DÉTERMINE CE QUI EST IMPORTANT.

ÉVALUE LE MESSAGE.

Réfléchis à ta démarche de lecture

Dans quelles autres situations de lecture pourrais-tu te servir des stratégies que tu as mises en application pour lire des entrevues ? Pourquoi est-ce utile de déterminer ce qui est important dans un texte ?

Écris avec habileté

Dans la section «Des gens derrière l'image», tu as lu des entrevues. Analyse ces textes afin de dégager la structure d'une entrevue.

Les CONVENTIONS linguistiques

■ En quoi la **ponctuation** est-elle importante dans une entrevue?

Exprime-toi!

■ Qu'as-tu remarqué sur la façon d'écrire une entrevue?

■ Qu'est-ce qui distingue une entrevue d'un reportage?

■ Comment peut-on situer les lecteurs et lectrices avant de présenter l'entrevue?

■ Quelles sont les caractéristiques d'une entrevue? Dresses-en une liste.

La structure d'une entrevue:

– une introduction présentée de façon différente (ex.: italiques, gras, encadré, fond tramé)

– des questions auxquelles on ne peut pas répondre seulement par «oui» ou «non»

– des initiales pour montrer qui parle

– des expressions qui donnent un aspect naturel à la conversation (ex.: «ça m'a fait plaisir»)

65

MÉTIER:

CASCADEUR OU CASCADEUSE

Risquer sa vie pour votre plaisir!

par Guillaume Miszczak

Une cascade exige beaucoup de préparation.

En quoi les cascades rendent-elles les films plus intéressants ?

Les cascadeurs et cascadeuses sont des passionnés du risque. Ce sont eux qui tournent les scènes risquées d'un film en tant que doublures. On les appelle quand les vedettes pourraient se blesser durant le tournage d'un film. Les cascadeurs et cascadeuses relèvent de grands défis, comme faire des sauts périlleux, participer à des combats armés, provoquer des explosions, faire des chutes spectaculaires et même se transformer en torche humaine! Ces personnes travaillent dans un milieu où la moindre erreur peut être fatale. Malgré les risques de leur métier, des cascadeurs canadiens comme Stéphane Lefebvre et Nathalie Girard savourent chaque instant de leur travail. Ce reportage veut rendre hommage aux personnes qui exercent avec passion ce métier risqué.

66

L' origine du métier

La pratique du métier de cascadeur ou cascadeuse remonte aux années 1930. Durant cette période, les réalisateurs de films commencent à vouloir tourner des scènes dangereuses. C'est pour cette raison qu'ils font appel à des cascadeurs pour doubler les acteurs. Les réalisateurs ont d'abord recours à des gens ayant peu d'expérience, mais cela cause plusieurs blessures, et même des décès ! Pour remédier à ces problèmes, ils décident alors d'employer des artistes de cirque, comme des acrobates et des gymnastes, pour leurs habiletés. Peu à peu, le métier de cascadeur ou cascadeuse prend vraiment sa place. Actuellement, ce métier est pratiqué par un peu plus de 300 professionnels dans le monde, dont une vingtaine au Québec.

OBSERVE LE TEXTE.

Dans l'introduction, l'auteur réussit, en décrivant le métier des cascadeurs, à capter notre attention. De quelle façon y arrive-t-il ?

Malgré les dangers du métier, des cascadeurs et cascadeuses continuent de risquer leur vie pour nous divertir.

Une passion pour le danger

Les risques de blessure sont constamment présents lorsqu'on exerce ce métier. Tout doit être calculé pour éviter le pire, car une cascade n'est pas un jeu d'enfant. Dans des scènes d'action, les cascadeurs et cascadeuses doivent contourner des voitures, provoquer des accidents, s'enflammer ou se battre. C'est un travail difficile qui se déroule devant une caméra et un réalisateur ou une réalisatrice qui recherche la scène parfaite. Par conséquent, il faut avoir la passion du danger pour exercer ce métier.

67

Un cascadeur québécois

Cette passion pour le danger, le cascadeur Stéphane Lefebvre l'a depuis qu'il est tout petit. Il a créé sa propre compagnie de cascades, Action Stunts, située sur la Rive-Sud de Montréal. Il s'amuse follement en pratiquant son métier. Bien avant de gagner sa vie comme cascadeur, Stéphane faisait des cascades dans la cour de l'école, devant ses amis.

En 1984, après plusieurs tentatives auprès de diverses agences de cascadeurs, Stéphane a obtenu son premier rôle de cascadeur dans le film français *Clémence Aletti*. Depuis, il a exécuté des cascades dans plusieurs productions canadiennes et québécoises, comme *Les Boys* et *Art of War*. En plus, il a eu la chance de rencontrer des vedettes telles que Bruce Willis, Sylvester Stallone et Angelina Jolie. Stéphane soutient que l'adrénaline et la peur le poussent à risquer sa vie pendant qu'il travaille. Pourquoi ? Parce qu'il devient, après chaque cascade, un héros sur le plateau. Toutefois, la gloire ne dure que quelques instants.

Même si de nos jours un gel protecteur permet aux cascadeurs et cascadeuses de jouer les torches humaines, les brûlures demeurent fréquentes.

Bienvenue aux femmes !

La pratique de ce métier n'est pas uniquement réservée aux hommes. Un peu plus d'une dizaine de femmes l'exercent. C'est le cas de la cascadeuse Nathalie Girard. Avant tout, cette jeune femme désirait participer aux Jeux olympiques en tant que gymnaste, mais elle a plutôt décidé de devenir cascadeuse. Comme Stéphane Lefebvre, Nathalie Girard croit que la peur fait partie du métier. Finalement, son métier lui a permis de personnifier toutes sortes de créatures et de côtoyer plusieurs célébrités.

Experte en arts martiaux et en gymnastique, Nathalie affirme que chaque cascade représente un nouveau défi.

À vos risques et périls !

Il est certain que les amateurs de films d'action apprécient les chutes en hauteur, les collisions, les capotages de voitures et les bagarres. Ces scènes impressionnantes peuvent cependant coûter la vie aux cascadeurs et aux personnes présentes sur les lieux d'un tournage. Les mesures de sécurité imposées par les réalisateurs sont strictes, mais il est parfois difficile de prévoir un accident. Le 16 août 1999, pendant le tournage du film d'action *Taxi 2*, le caméraman Alain Dutartre a perdu la vie après avoir été renversé par une voiture durant une cascade.

La prochaine fois que vous visionnerez un film, rappelez-vous que derrière chaque scène d'action se cache un cascadeur ou une cascadeuse comme Stéphane Lefebvre ou Nathalie Girard. Il est important de prendre conscience que ces gens risquent leur vie pour nous divertir.

VA PLUS LOIN. ●●

1. Selon toi, devrait-on accepter que des gens risquent leur vie pour la production d'un film ? Discutes-en avec un ou une camarade.

2. En équipe, rédigez une lettre de demande de renseignements pour en connaître plus sur le métier de cascadeur (qualités, études, avantages, inconvénients, possibilités, etc.).

LE CIRQUE DU SOLEIL...
démaquillé

par Jacques Laberge, journaliste

Comment le maquillage peut-il aider les artistes à transmettre un message ?

Vous avez sans doute déjà entendu parler du Cirque du Soleil. Ou peut-être même vu un de ses spectacles. Cette troupe d'artistes a très bien compris qu'un spectacle exige une longue et minutieuse préparation. L'imagination est toujours au rendez-vous, et la magie de la scène transporte les spectateurs et spectatrices dans un autre univers. Qu'il s'agisse d'une cantatrice, d'un danseur de ballet ou d'une trapéziste, les artistes de la scène au Cirque du Soleil transmettent une étincelle de joie, un message d'espoir ou un instant de rêve. Ce reportage vous présente Nathalie Gagné, la conceptrice des maquillages du Cirque du Soleil, de même qu'une marche à suivre pour un maquillage réussi.

La conceptrice des maquillages

Nathalie Gagné a toujours été fascinée par les maquillages. En fait, elle a eu le coup de foudre pour le maquillage artistique à 14 ans. En 1988, elle a réalisé ses premiers maquillages pour le théâtre. Avant de se joindre au Cirque du Soleil, Nathalie a travaillé dans les domaines du théâtre, du cinéma et de la télévision. Elle a été mise en nomination à deux reprises par l'Académie canadienne du cinéma et de la télévision pour le Gémeau des meilleurs maquillages.

Au Cirque du Soleil, Nathalie travaille en collaboration avec les gens qui font la mise en scène, la direction artistique et la conception de costumes. «Mon rôle est de traduire leur vision sur le visage des artistes, de forger l'identité des personnages et de transmettre leur énergie et leur émotion par le maquillage», affirme la conceptrice des maquillages. Depuis 1995, Nathalie Gagné a créé plus de 200 concepts de maquillages qui ont été choisis parmi plus de 2000 esquisses.

Afin de s'assurer du respect des concepts dans l'exécution des maquillages, les artistes du Cirque du Soleil participent à des ateliers de formation.

Nathalie enseigne l'art du maquillage aux artistes et rédige à leur intention une marche à suivre pour qu'ils appliquent eux-mêmes leur maquillage.

Les outils de l'art

Un maquillage de scène peut être fait simplement dans le but d'accentuer les traits naturels d'un personnage sous les projecteurs. Il peut aussi servir à créer un effet fantaisiste comme un visage de squelette ou de clown ou un effet réaliste, comme le vieillissement ou la maladie. Dans ce cas, l'artiste du maquillage aura recours à des trucs, à des effets spéciaux. Par exemple, les cheveux sont blanchis avec du fond de teint blanc et une éponge. Les maquilleurs et maquilleuses sont des maîtres de l'illusion. Ils connaissent les trucs pour que tout semble crédible.

MÉDIA ACTION

Trouve dans des magazines, des journaux ou dans Internet des exemples de maquillages intéressants. Dans quel but ces maquillages ont-ils été créés ?

71

Voici une marche à suivre pour réaliser un maquillage.

OBSERVE LE TEXTE.

Quels éléments caractérisent la présentation d'une marche à suivre ?

Le pierrot triste

Si tu as un bandeau noir, demande à ton modèle de le porter. Peins une pointe noire sur son front, le long du bandeau. Cela permet d'évoquer la calotte noire d'un pierrot.

La bouche est dessinée plus petite et le contour des lèvres est plus accentué.

Un trait blanc donne de l'éclat à la larme.

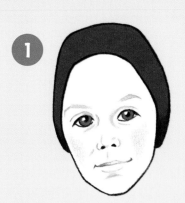

1 À l'éponge, applique une base blanche sur le visage, puis ombre légèrement les joues avec du mauve pâle ou du bleu.

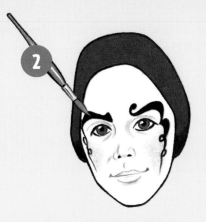

2 Dessine des sourcils fantaisistes à la peinture noire et prolonge-les par des boucles le long des joues.

3 Souligne les yeux d'un trait noir fin. Puis, sous l'un des yeux, dessine le contour d'une grosse larme.

4 Maquille les paupières d'un ton délicat, comme du bleu clair. Colorie la larme en doré et les lèvres en rose.

TRUC

Le visage du pierrot sera plus réussi s'il est légèrement asymétrique. Pour cela, dessine des sourcils différents à l'étape n° 2.

Source : Caro CHILDS et Chris CAUDRON, *Maquillages*, Londres, Éditions Usborne, 2008, p. 23.

VA PLUS LOIN.

1. Avec un ou une camarade, crée un maquillage qui pourrait représenter votre école. Présentez-le à la classe.

2. En équipe, écrivez une marche à suivre pour réaliser un maquillage de votre choix. Présentez votre marche à suivre à la classe.

Le calligramme:

Le calligramme est une forme de poème bien particulier. On dit qu'il s'agit d'un poème visuel, car sa forme nous permet de voir le contenu du texte. Le calligramme a été inventé par Guillaume Apollinaire, un Français, en 1918.

Que sais-tu à propos des calligrammes ?

LE PAON

LE PAON SA QUEUE MULTICOLORE SA BELLE ET DÉPLOIE EN UN ÉVENTAIL SÉDUIRE POUR DE PETITS CRIS AIGUS IL DANSE POUSSE LA ROUE ET SE FAIT IL PAVANE. ATTENTION! SES BELLES PLUMES POURRAIENT FINIR SUR LE CHAPEAU D'UNE DAME... CIEL! QUEL DRAME!

LE SABLIER

LE TEMPS FILE ET NE REVIENT JAMAIS. LE TEMPS COURT SI VITE QU'ON NE PEUT LE RATTRAPER JOUR APRÈS JOUR IL S'ENFUIT. MAIS IL LAISSE SOUVENT DE DOUX SOUVENIRS

74

l'image en poème

LA PLUIE QUI TOMBE

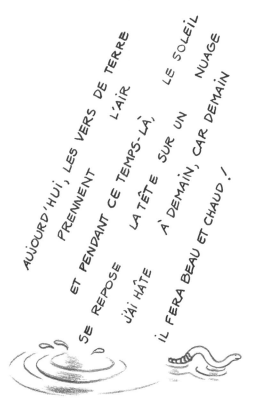

AUJOURD'HUI, LES VERS DE TERRE PRENNENT L'AIR LE SOLEIL ET PENDANT CE TEMPS-LÀ, SE REPOSE LA TÊTE SUR UN NUAGE J'AI HÂTE À DEMAIN, CAR DEMAIN IL FERA BEAU ET CHAUD !

UN BATEAU SUR LA MER

LE BATEAU DANSE SUR L'OCÉAN L'ACCOMPAGNENT TOUT AU LONG ET LE CIEL EST MENAÇANT PAR CHANCE, LE BATEAU N'A JAMAIS TOUT BLEU, LES MOUETTES DU VOYAGE. LA TEMPÊTE GRONDE LE BATEAU VALSE AVEC LA TEMPÊTE. LE MAL DE MER !

Source : Robert SOULIÈRES et Caroline MEROLA, *Am, stram, gram et calligrammes*, coll. Ma petite vache a mal aux pattes, Saint-Lambert, Soulières Éditeur, 2006, p. 12, 15, 28-29, 42-43.

VA PLUS LOIN. •

1. Discute avec un ou une camarade des calligrammes présentés. Lequel transmet le mieux son message ? Pourquoi ? Échangez vos idées avec une autre équipe.

2. Placez-vous en équipe. Créez chacun un calligramme. Préparez une exposition pour présenter vos calligrammes.

75

À l'œuvre !

Le documentaire s'apparente au reportage. Il peut être lu ou regardé à la télévision. Il y a des documentaires historiques, géographiques, biographiques, etc. Les documentaires expliquent une actualité ou une découverte scientifique, ou encore parlent de la vie d'un personnage. Le documentaire est une façon de raconter quelque chose. Il est toujours fait à partir d'un scénario.

En équipe, préparez un documentaire pour la télévision sur une profession ou un métier qui vous intéresse.

Effectuez votre recherche.

Choisissez une profession que vous aimeriez présenter dans un documentaire télévisuel. En effectuant votre recherche, pensez aux éléments suivants:

- Que voulez-vous que les spectateurs et spectatrices apprennent au sujet de cette profession?

- De quels renseignements aurez-vous besoin pour faire connaître cette profession?

- Où pourriez-vous trouver ces renseignements?

- Qui pourriez-vous interviewer?

- Qui jouera le rôle de la personne interviewée? Qui jouera le rôle de la personne qui pose les questions?

> ## Quelques CONSEILS
>
> - Regardez des documentaires à la télé.
>
> - Observez la façon dont est présentée l'information.

76

Préparez votre documentaire.

- Rédigez un court texte de présentation de votre documentaire en donnant une brève description de la profession présentée.

- Créez un scénario de votre documentaire. Décrivez et illustrez chaque scène. Ce scénario servira à l'équipe de tournage.

- Préparez des questions intéressantes que vous pourrez poser pour obtenir les renseignements recherchés sur la profession.

- Décidez des prises de vue. Exercez-vous à jouer vos rôles.

Présentez votre documentaire.

- Présentez votre documentaire à vos camarades.

- Invitez-les à poser des questions à la fin du documentaire.

- Pensez à quelques questions que vous pourriez poser à vos camarades afin de déterminer leur appréciation.

Faites un retour sur votre travail.

- Avez-vous bien réparti le travail ?

- Avez-vous trouvé suffisamment de renseignements sur la profession ? Les renseignements étaient-ils pertinents et intéressants ?

- Votre documentaire a-t-il été apprécié ? Comment le savez-vous ?

- Que pourriez-vous améliorer la prochaine fois ?

Le scénario de notre documentaire sur le métier d'entrepreneur en construction

La construction de notre nouveau gymnase

1 Ouverture sur la photo de notre école prise l'année passée.

2 Gros plan sur l'entrepreneur, M. Lévesque, qui a construit notre nouveau gymnase.

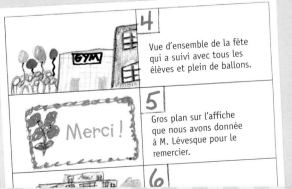

4 Vue d'ensemble de la fête qui a suivi avec tous les élèves et plein de ballons.

Merci !

5 Gros plan sur l'affiche que nous avons donnée à M. Lévesque pour le remercier.

Que VOIS-tu à la télévision ?

par Shelagh Wallace

Comment les prises de vue influencent-elles ta façon de réagir ?

Regarde la pièce dans laquelle tu te trouves. Maintenant, place tes mains autour de tes yeux comme si tu tenais des jumelles. Regarde la pièce de nouveau. En regardant à travers le cadre de tes mains, tu ne vois que certaines parties de la pièce à la fois. Et tu les vois de l'endroit où tu te trouves. Tu vois les choses de ton point de vue.

Comme tes mains placées en coupe, l'écran de télévision encadre ce que tu vois à la télé et te donne une certaine vision du décor, des acteurs et actrices et de l'action. Mais les images à l'écran n'ont pas ton point de vue. Le point de vue est celui du réalisateur ou de la réalisatrice qui souhaite attirer ton attention sur un élément en particulier dans l'émission. Son but est de te faire réagir d'une façon précise à ce que tu vois, de t'amener à applaudir le héros ou l'héroïne et non le personnage méchant. Voici quelques trucs qui lui permettent d'y parvenir.

Les caméras enregistrent une scène dans un studio de télévision.

78

OBSERVE LE TEXTE.
Que peut-on ajouter à un texte pour aider
les lecteurs et lectrices à mieux le comprendre ?

Avoir le bon angle

De nombreuses possibilités s'offrent aux réalisateurs
et réalisatrices au moment de choisir la position de la
caméra. Dans un plan en plongée, les choses peuvent
paraître plus petites ou moins importantes, car elles
sont photographiées de haut. En tant que spectateur ou
spectatrice, ce plan te donne un sentiment de puissance,
puisque tu parais plus grand que l'objet que tu regardes.

Le plan en plongée peut servir à créer du suspens dans
les séries d'intrigues policières. Par exemple, tu regardes
de haut une équipe de policiers qui se déplacent dans un
entrepôt désert et qui se dirigent sans le savoir tout droit
vers les escrocs. Tu sais avant eux qu'ils vont avoir
des problèmes.

À l'opposé, le plan en contre-plongée permet de
photographier les objets d'en dessous. La caméra pointe
vers le haut. Les objets paraissent ainsi plus grands et
plus importants que le spectateur ou la spectatrice.
Une photo prise au niveau des genoux, par exemple,
montre à quel point on est petit à côté des édifices.

Le **plan en plongée**
permet de voir ce que les gens
au sol ne voient pas. Ici, on
voit l'intensité dans le visage
des athlètes et à quel point
le ballon est proche du filet !

Le **plan en
contre-plongée**
donne l'impression
d'être sur place. Sur
cette photo, tu peux
sentir la hauteur et
l'immensité des
gratte-ciel.

79

Le **plan en contre-plongée** peut être très amusant!

Selon les circonstances, un plan en contre-plongée peut te faire rire ou te terroriser. Imagine que tu es en position allongée, sur le dos. Quand tu ouvres les yeux, un cochon est penché sur toi et te renifle le visage. Cela peut être très drôle!

L'angle normal, c'est-à-dire au niveau des yeux, est celui qui est le plus souvent utilisé à la télévision. C'est l'angle dans lequel on regarde les gens habituellement. C'est un angle que nous connaissons et qui nous met généralement à l'aise. Contrairement aux plans en plongée et en contre-plongée, l'angle normal tente de présenter le sujet de façon plus neutre.

L'**angle normal** présente une vision simple et directe du sujet.

80

Prendre ses distances

En changeant la distance entre la caméra et le sujet, la personne qui assure la réalisation peut diriger ton attention sur ce qu'elle veut te faire voir. Dans un plan d'ensemble, il y a beaucoup de distance entre la caméra et ce que tu vois. Ce plan te permet de voir la situation dans son ensemble. On l'appelle aussi *plan d'ambiance* quand on l'utilise au début d'une scène pour situer le décor. Dans ce cas, on montre en général le bâtiment ou le lieu où se déroule la plus grande partie de l'action. Les plans d'ambiance diffèrent selon le type d'émission. Dans une émission de variétés, par exemple, ce plan peut montrer le plateau et le public.

Le **plan d'ensemble** montre l'ensemble de la situation.

81

L'arrière-plan d'un **plan moyen** peut fournir beaucoup d'information. Quels éléments de cette photo t'indiquent que Chantal Hébert est journaliste à la télévision ?

Dans un plan moyen, la distance entre la caméra et le sujet est moins grande que dans un plan d'ensemble. Dans ce genre de plan, les personnes ou les objets que tu regardes sont aussi importants que ce qui se trouve derrière eux. On y voit généralement le haut du corps des personnes. La plupart des prises de vue à la télévision sont des plans moyens.

Le gros plan nous rapproche d'un objet ou d'une personne pour attirer notre attention. Surveille les gros plans dans les émissions de variétés et les téléromans, surtout lorsque l'on veut montrer les émotions intenses. Les gros plans sont abondamment utilisés à la télévision pour toucher le public et l'inciter à continuer de regarder l'émission.

L'autre type de gros plan, le très gros plan, n'est pas souvent employé à la télévision. Si tu en vois, ce sera sans doute dans un film d'horreur. Voir apparaître un immense globe oculaire, par exemple, a vraiment de quoi te faire sursauter !

Le **gros plan** est formidable pour montrer des émotions !

82

Le **très gros plan** peut vraiment donner le frisson !

Et maintenant, la partie difficile!

Après l'enregistrement et pendant le montage, il faut décider des prises de vue qui seront conservées pour l'émission. Et il peut y en avoir beaucoup parmi lesquelles choisir! La plupart des comédies de situation, par exemple, sont enregistrées deux fois devant public et deux fois sans public. Trois ou quatre caméras, placées à une distance et dans des angles différents, sont utilisées chaque fois, car les scènes sont tournées dans le désordre. Une fois l'enregistrement terminé, les meilleures prises de vue sont sélectionnées et regroupées dans le bon ordre. Ce processus peut prendre jusqu'à 50 heures pour un épisode d'une demi-heure.

Maintenant que tu comprends mieux ce que tu vois à la télévision, tu reconnaîtras sans doute des angles de prise de vue, des effets et d'autres techniques que tu n'avais jamais remarqués avant. Pourquoi a-t-on choisi cet effet de caméra? Quelle réaction provoque-t-il chez toi? Que vois-tu d'autre? Trouver les réponses à ces questions fait partie du plaisir d'être un téléspectateur ou une téléspectatrice et de comprendre ce qui se passe vraiment à la télévision.

LA TOUCHE FINALE

Une fois que l'enregistrement et le montage de l'émission sont terminés, le dialogue est corrigé au besoin, puis la musique et les effets sonores sont ajoutés. C'est ce qu'on appelle le *mixage son final*.

Source: Traduction libre. Shelagh WALLACE, *The TV Book: The Kids' Guide to Talking Back*, Annick Press, 1996. Reproduit avec autorisation.

VA PLUS LOIN.

1. Choisis un angle de prise de vue et explique à un ou à une camarade comment ce plan modifie l'image. Suggère d'autres situations dans lesquelles un ou une photographe pourrait utiliser cet angle de prise de vue.

2. En équipe, parcourez des bandes dessinées pour trouver trois images qui présentent des angles de prise de vue précis. Dans chaque cas, écrivez une légende pour décrire l'angle de prise de vue et l'effet créé.

83

Des personnages à portée de la main

Comment transmet-on un message à l'aide de marionnettes ?

Inspire-toi des idées présentées pour fabriquer des personnages intéressants (oiseaux, animaux, etc.).

Les symboles utilisés

Voici les principaux symboles qui permettent de mieux suivre les différentes étapes de création.

La flèche en spirale : mettre le papier sur l'envers.

Ce symbole signifie que tu dois tourner le papier (de haut en bas).

Les pointillés montrent où tu dois plier le papier, ou bien où se trouve le pli.

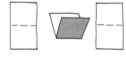

Plie le papier dans la direction indiquée par la flèche.

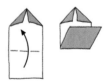

Plie puis déplie le papier pour marquer le pli.

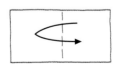

84

OBSERVE LE TEXTE.
En quoi un plan de montage aide-t-il à mieux
comprendre une marche à suivre ?

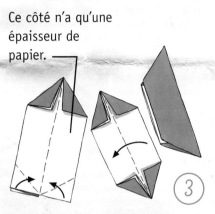

Ce côté n'a qu'une épaisseur de papier.

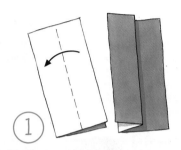

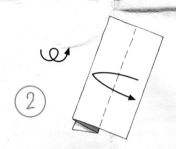

Plie en deux de gauche
à droite un carré de papier
de 20 cm × 20 cm, puis plie
encore en deux la première
épaisseur. Le bord doit
se trouver sur le pli central.
Le pliage sera plus réussi
avec un papier un peu épais.

Retourne le papier sur
l'envers et rabats l'autre côté
vers le pli central. Marque le
pli, puis déplie le côté.

Avec soin, rabats les coins
du haut et du bas vers le pli
central. Plie ensuite le côté
droit sur le côté gauche.

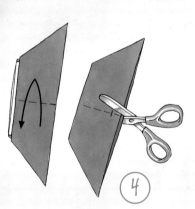

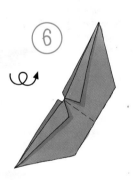

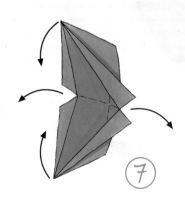

Plie le papier en
deux, puis déplie-le.
Fais une fente de
1 cm au milieu
du bord le plus long.
Coupe à travers
les deux épaisseurs.

Replie les deux
moitiés du grand
côté. Commence
à plier le papier au
niveau de la fente.
Les plis se terminent
en pointe de chaque
côté.

Retourne le pliage
et répète l'étape 5
avec l'autre côté.

Ouvre le pliage en
écartant les grands
bords, de façon
que les pointes
se rejoignent
sur le devant.

85

Quand le pliage est terminé, dessine ou colle des yeux.
Tu peux aussi peindre l'intérieur du bec.

Un pingouin
Tu peux coller
la queue d'un
poisson à
l'intérieur du bec
du pingouin.

Un lézard
Pour obtenir un lézard,
colle une crête à l'intérieur
de l'un des plis de la tête.

Un requin
Tu peux coller un poisson en papier au
bout d'un petit fil métallique pour faire
un requin qui chasse.

Source : Eileen O'BRIEN et Kate NEEDHAM, *L'origami et autres créations en papier*, Londres,
Éditions Usborne, 2008, p. 6, 12 et 13.

VA PLUS LOIN. ●●●●●●●●●●●●●●●●●●●●●●●●●●●●

1. Avec un ou une camarade, choisis deux des trois personnages suggérés
   et fabriquez-les. Vous pouvez aussi vous inspirer de la marche à suivre
   présentée et créer d'autres personnages.

2. Avec le ou la même camarade, crée un dialogue entre ces deux
   personnages et présentez-le à la classe.

Une histoire tout feu tout flamme

par Élaine Turgeon

Quel personnage de film aimerais-tu être ? Pourquoi ?

Flavie explique à monsieur Vacherin, son ami détective, ce qui s'est passé la veille : l'incendie du club vidéo, les gens qu'elle a observés en train de choisir leur film et leur étrange attitude depuis l'incendie.

Marguerite écoute tout cela en levant les yeux au ciel. Monsieur Vacherin a aussi l'air perplexe. Il prend une grande inspiration avant de répondre :

— Tu es en train de me dire que ces gens ont pris les caractéristiques des personnages de leurs films préférés ?

— C'est en plein ça ! Je ne sais pas comment l'expliquer, mais c'est exactement ça qui s'est produit. Regardez, même Méow se comporte différemment.

87

— Je ne vois pas ce que ce chat a d'étrange ! Il a toujours eu un faible pour la boxe à mains nues avec les pantoufles. Écoute, Flavie, tu déranges monsieur Vacherin avec tes histoires. Ça n'a aucun sens ce que tu racontes. Laisse-nous un peu entre adultes, s'il te plaît.

— Ta grand-mère a probablement raison, Flavie. Je crois que cette fois-ci, c'est ton imagination qui te joue des tours. Tu as vécu un stress dans l'incendie. Tu as probablement besoin de repos.

Du repos ! Flavie n'en revient pas. Monsieur Vacherin, LE spécialiste des causes désespérées, celui qui a toujours une explication pour l'inexplicable, celui sur qui elle a toujours pu compter, ne la croit pas !

Plus tard dans la journée, monsieur Vacherin revient, les bras chargés de journaux.

— J'ai fait un arrêt au dépanneur. Regardez ce que j'y ai trouvé !

Marguerite, Flavie et son cousin Alex feuillettent les journaux que monsieur Vacherin a étalés sur la table. À la une de l'un des quotidiens, on voit un voisin de Marguerite, monsieur Caron, dont le regard fou fixe le ciel. Le titre de l'article annonce que la Terre est menacée par une invasion d'extraterrestres venus de la mystérieuse planète Blurp. Dans une entrevue qu'il a accordée au journaliste, monsieur Caron affirme qu'il a été informé par des êtres venus d'une autre planète et qu'ils s'apprêteraient à coloniser la nôtre.

— Connais-tu ce monsieur, Flavie ? demande monsieur Vacherin.

— Malheureusement, oui! C'est notre voisin d'en arrière; il était au club vidéo le soir de l'incendie, répond Flavie en désignant l'endroit où habite monsieur Caron.

Elle n'a pas besoin de décrire la maison en question car, sur le toit d'un immeuble, on aperçoit un homme habillé d'étranges vêtements et casqué d'un chapeau surmonté d'antennes. Il semble être en train d'installer une piste d'atterrissage ou quelque chose du genre. Dans la ruelle, derrière sa maison, ses jumeaux discutent avec ce qui semble être des crapauds! À l'aide de ses jumelles, monsieur Vacherin arrive à distinguer les pustules vertes qui recouvrent la peau des jumeaux.

— Beurk! Mais quelle espèce de film ces deux jeunes voulaient-ils louer?

— Pas un film, monsieur Vacherin, un jeu vidéo… de crapauds puants!

Dans un autre quotidien, on parle d'une femme masquée en chemise de nuit qui aurait attaqué des gens à la sortie du métro. Elle se serait placée debout sur le tourniquet et aurait menacé, pendant une heure, de faire la prise du *egg roll* à quiconque s'approcherait d'elle.

Sur la page couverture de l'hebdo du quartier, il est question d'un chat qui aurait sauvé la vie à un bébé. Flavie s'empare du journal en question et fait la lecture à voix haute du texte:

— «En effet, le bébé d'un an qui aurait échappé à la surveillance de sa gardienne se serait retrouvé au milieu de la chaussée. Un automobiliste affirme qu'au moment où il s'apprêtait à tourner le coin d'une rue, un chat surgi de nulle part lui aurait barré le chemin, l'empêchant de justesse de heurter le poupon. Le chat aurait ensuite composé le 911 dans une cabine téléphonique, avant de s'enfuir dans la nuit, ce qui aurait permis au conducteur d'alerter les policiers.»

La bouche grande ouverte, Flavie regarde son chat qui mordille tranquillement une pantoufle.

— Méow? Est-ce que…

Sa phrase est interrompue par Alex, qui lui tape doucement sur l'épaule. C'est que, de l'autre côté de la fenêtre, madame Théberge est en train de suspendre des *egg rolls* sur la corde à linge!

— C'est de pire en pire! Il faut absolument faire quelque chose! murmure monsieur Vacherin.

— Oui, mais quoi ? s'impatiente Alex.

Le lendemain matin, monsieur Vacherin téléphone à Flavie et lui propose un test à réaliser pour tenter de ramener la situation à la normale. Méow est désigné comme cobaye de cette expérience. On lui fait regarder des films de superhéros à l'endroit, à l'envers, au ralenti, en accéléré. Rien n'y fait.

— Il va falloir essayer autre chose, soupire monsieur Vacherin.

— Oui, mais quoi ? On n'a aucune idée de ce qui a pu causer ce phénomène. Si ça se trouve, on n'arrivera jamais à ramener la situation à la normale, se plaint Alex.

— Ne sois pas négatif ! Tout problème a une solution. Il suffit d'être créatif. Ne m'as-tu pas dit, Flavie, que tu étais sortie du club vidéo avec une vidéocassette ?

— Heu… oui.

— Peux-tu me l'apporter, s'il te plaît ?

Flavie revient avec la vidéocassette et la tend à monsieur Vacherin. Le détective la saisit et l'observe attentivement. Il la tourne et la retourne de tous les côtés à la recherche d'un indice. Soudain, il cesse tout mouvement et fixe intensément une inscription sur le dessus du boîtier.

— Quel jour sommes-nous ? demande-t-il.

— Lundi. Pourquoi ? répond Marguerite.

Monsieur Vacherin leur montre l'inscription sur la vidéocassette. Il est indiqué, en grosses lettres jaunes : « LOCATION 3 SOIRS, RETOUR AVANT MINUIT ».

— L'incendie a eu lieu samedi soir, c'est bien ça ?

— Oui.

— Ce qui veut dire que la cassette doit être retournée ce soir avant minuit !

— Oui, mais il n'y a plus de club vidéo ! rétorque Alex.

— Peu importe. Je crois que la seule façon de ramener la situation à la normale est de retourner cette vidéocassette sur les lieux de l'incendie, comme il est écrit sur le boîtier.

— Ça ne semble pas bien compliqué! Si ce n'est que ça, je vais y aller tout de suite, propose Marguerite en s'emparant de la cassette.

— Attendez! Si ce que je pense est exact, nous ne devons pas y aller seuls.

— Vous n'êtes pas en train de dire que…

—Oui, l'interrompt le détective. C'est au club vidéo que tout a commencé et c'est là que nous devrons tous les emmener, ce soir, avant minuit!

— Comment ferons-nous?

— Je ne sais pas encore, mais nous devons tout faire pour trouver un moyen avant minuit!

Le soir même, le détective entraîne Marguerite et Flavie sur le balcon et désigne le toit de la maison du voisin. Monsieur Caron est au centre de sa piste d'atterrissage pour extraterrestres, les bras levés vers le ciel. Il est immobile. Totalement immobile.

— On dirait qu'il est figé dans sa pose, murmure Flavie.

— C'est exactement ça! s'exclame monsieur Vacherin.

Le détective sort alors une télécommande de sa poche, la dirige vers monsieur Caron et appuie sur le bouton «pause». Automatiquement, monsieur Caron retrouve sa mobilité et poursuit ses activités comme si rien ne s'était passé.

— Incroyable! Comment avez-vous fait? demande Marguerite.

— C'est Alex qui m'en a donné l'idée en parlant de faire une petite pause. J'ai cherché dans mes livres et trouvé un passage où on parlait d'un cas similaire.

— Avez-vous essayé les autres touches de la télécommande?

— Évidemment! Quand j'ai vu que la touche «pause» permettait d'immobiliser monsieur Caron, j'ai tout de suite pensé qu'en appuyant sur la touche «marche arrière» on pourrait reculer dans le temps, mais ça ne semble pas fonctionner. La seule touche qui a un effet sur lui est la touche «pause».

— Avez-vous essayé sur une autre personne? demande Flavie.

— Pas encore.

Monsieur Vacherin sort alors une deuxième télécommande.

— Si mes calculs sont bons, il me faut une télécommande pour chacun, murmure le détective.

Quelques heures plus tard, monsieur Vacherin finit d'installer Méow, dans la boîte à gants, puis démarre lentement sa voiture.

— Ça va ? Tout le monde est bien installé ?

Évidemment, aucun des passagers ne répond. C'est que monsieur Caron est étendu sur la banquette arrière, sous ses deux fils, et que madame Théberge est coincée en position debout, sur le siège du passager, sa tête dépassant légèrement du toit ouvrant. Tous ont un petit air figé. Derrière eux, Flavie, Alex et Marguerite suivent l'étrange équipée en espérant ne rencontrer aucun policier. Lorsqu'ils arrivent sur les lieux de l'incendie, il est minuit moins quart.

Au moment où monsieur Vacherin met le pied dehors, un objet mou vient heurter l'arrière de sa tête. Il se retourne doucement et voit madame Théberge, debout sur le toit de l'auto, qui s'apprête à lui lancer une volée de *egg rolls*. Il est minuit moins dix.

Monsieur Vacherin avait pensé à tout sauf à cela. La touche «pause» permet de faire un arrêt sur l'image, mais seulement pendant une courte période. Le détective fouille alors nerveusement dans ses poches de manteau, mais elles sont totalement vides.

Il est minuit moins cinq. Par la fenêtre ouverte de la voiture de Marguerite, Flavie crie à monsieur Vacherin :

— Où sont les télécommandes ?

— Je les ai laissées dans ma voiture… répond-il piteusement.

Quelqu'un tape alors sur l'épaule du détective. Il se retourne lentement et découvre madame Théberge en position de combat.

— Bonsaï !

— ÀÀÀÀÀÀÀ MOI!!!!!!

L'empoignant par le collet et le fond de sa culotte, madame Théberge soulève monsieur Vacherin au bout de ses bras et le fait tournoyer dans les airs.

— AU… AU… AU SECOURS!!!!!!

Caché derrière la voiture, Alex assiste à la scène, paralysé par la peur. Il est minuit moins une.

— La cassette, Alex ! hurle monsieur Vacherin en faisant un vol plané vers le conteneur à vidanges dans lequel madame Théberge vient de l'expédier.

Sortant alors de sa torpeur, Alex réalise que c'est lui qui a la cassette. Il s'élance vers les vestiges du club vidéo, évite les *egg rolls* de madame

Théberge, s'empare de la vidéocassette et parvient à la glisser dans la boîte de dépôt. Très lentement, comme dans un film au ralenti, la vidéocassette s'engouffre dans la boîte de dépôt, tombe au sol et soulève un gros nuage de cendres. Il est minuit. Tout le monde suit la scène en retenant son souffle.

C'est monsieur Caron qui brise le silence, lorsqu'il s'aperçoit qu'il est déguisé en extraterrestre.

— Quelqu'un peut-il me dire ce qui se passe ici ?

Autour de lui, madame Théberge, les jumeaux et Méow semblent se poser la même question. Apparemment, tout le monde est redevenu normal.

De retour chez Marguerite, monsieur Vacherin relate les événements des derniers jours aux voisins de Flavie. Ceux-ci n'en reviennent pas, mais aucun d'entre eux n'en conserve le moindre souvenir. Chose étrange, la vidéocassette, glissée par Alex dans la boîte de dépôt, n'a jamais été retrouvée. Monsieur Vacherin a eu beau fouiller, personne ne l'a plus jamais revue…

Source : Élaine TURGEON, *Une histoire tout feu tout flamme*, Montréal, Éditions Québec Amérique inc., 2002, p. 42-45, 62-66, 71, 80-83, 87-89, 94-95, 105.

VA PLUS LOIN.

1. Imagine que tu es un des personnages de ce récit. Écris une page de ton journal personnel trois jours après l'incendie. Compare ton travail avec celui d'un ou d'une camarade.

2. En équipe, préparez une affiche pour annoncer la sortie d'un film sur un sujet fantastique de votre invention. Présentez votre affiche à la classe.

93

À ton tour !

C'est à ton tour de mettre en application ce que tu as appris pour réaliser un roman-photo. Le roman-photo présente une structure semblable à celle de la bande dessinée.

Prépare ton roman-photo.

- Choisis un récit, un poème ou une chanson dans ce module ou ailleurs.
- Divise le texte en séquences.
- Fais le scénario de ton roman-photo.
  - Décide du plan de la prise de vue et de la photo à trouver pour chaque séquence. Les gros plans servent à illustrer les sentiments des personnages. Les plans généraux et les plans larges servent surtout au début du texte pour montrer le contexte de la scène.
  - Trouve les photos et note pour chacune le texte qui doit l'accompagner (bulle de dialogue ou de pensée et indications pour la durée, le lieu et l'ambiance).
- Assemble ton roman-photo.
- Exerce-toi à le présenter.

Présente ton roman-photo.

- Présente ton roman-photo à la classe.
- Demande une rétroaction à ton auditoire.

94

Scénario du roman-photo

Séquence	Photo	Plan de la prise de vue	Dialogue ou pensée	Indications (temps, durée, etc.)
				Il y a une tempête de neige.
Le matin, à l'école des Bâtisseurs.	La classe de Mme Dumas, des élèves à leur pupitre.	Plan d'ensemble.	J'espère que Mme Dumas sera à l'école aujourd'hui… D'habitude, elle n'est jamais en retard.	

Gros plan sur tes **apprentissages**

Prépare-toi.

- Rassemble tes notes et les travaux réalisés dans ce module.

Réfléchis et discute.

Travaille avec un ou une camarade.

- Ensemble, lisez les objectifs d'apprentissage présentés à la page 50.
- Évalue ton travail. As-tu atteint les objectifs ?
- Trouve des exemples qui montrent que tu as atteint les objectifs.

Fais tes choix.

- Choisis deux travaux qui montrent que tu as atteint les objectifs d'apprentissage. Un même travail peut montrer que tu as atteint plusieurs objectifs.

Justifie tes choix.

- Décris ce que chaque travail montre au sujet de tes apprentissages.

Mes choix	J'ajoute ces travaux à mon portfolio parce que…

Réfléchis.

- Qu'as-tu appris sur l'importance de la prise de vue d'une image ?
- Explique une technique utilisée dans les médias pour capter notre attention.
- Quels textes ou quelles activités as-tu le plus aimés ? Lesquels t'ont le plus fait réfléchir ?

95

De la Terre à l'Univers

OBJECTIFS D'APPRENTISSAGE

Dans ce module, tu vas faire les tâches suivantes :

- écouter, lire et écrire des textes scientifiques sur l'espace ;

- lire une variété de textes sur l'espace, dont des fiches descriptives, des textes explicatifs, une chronique journalistique, un reportage, une chanson, des légendes et un récit de science-fiction ;

- faire une recherche sur une découverte en lien avec de récentes explorations spatiales ;

- concevoir et présenter un jeu-questionnaire sur l'espace.

96

l'apesanteur
une comète
la microgravité
une nébuleuse
une orbite
une planète

L'ESPACE
UNE VISITE GUIDÉE

'aimerais-tu
prendre au
sujet des
planètes ?

As-tu déjà rêvé de t'envoler vers Neptune, de voyager jusqu'à Jupiter ou de regarder les étoiles à partir de la planète Mars ? Évidemment, passer ses vacances dans l'espace n'est pas encore possible. En attendant, voici un exemple de ce que tu pourrais voir si tu faisais une visite guidée de notre système solaire.

MERCURE

Difficile de savoir quoi apporter dans ses bagages quand on visite Mercure. Pendant la journée, la température est assez élevée pour faire fondre le métal, alors que la nuit il y fait un froid glacial. Cette planète a adopté une orbite très allongée, ce qui explique ses températures extrêmes. Il y a très peu d'atmosphère sur Mercure. L'atmosphère est le mélange de gaz qui entoure une planète. Ces gaz agissent comme une immense couverture en retenant la chaleur du Soleil. Quand il y a très peu d'atmosphère, la chaleur s'échappe plus facilement.

Avec ses cratères, Mercure ressemble beaucoup à la Lune.

DONNÉES SUR MERCURE

Le diamètre : 4878 km	Les satellites : 0	Les anneaux : 0	La distance du Soleil : 57 909 175 km

VÉNUS

Vénus est notre voisine la plus proche. Elle a fait l'objet d'une vingtaine de missions spatiales depuis 1962. Elle est la seule planète à suivre une orbite presque parfaitement circulaire. Vénus est l'astre le plus brillant du ciel. Il faudrait de puissantes lunettes de soleil et un climatiseur cosmique pour pouvoir voler à proximité. Ce n'est certainement pas un endroit pour l'être humain ! Son atmosphère, épaisse et nébuleuse, est la plus efficace pour retenir la chaleur du Soleil. Il y fait 480 degrés Celsius !

Sur Vénus, les paysages sont d'une beauté impressionnante. Imagine un endroit avec un ciel orangé et des nuages jaunes. Ces magnifiques nuages tourbillonnants sont toutefois composés de gaz toxiques.

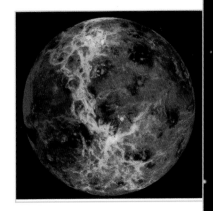

Vénus est la seule planète du système solaire qui tourne dans le sens rétrograde. Sur Vénus, le Soleil se lève à l'ouest et se couche à l'est.

DONNÉES SUR VÉNUS

Le diamètre : 12 104 km	Les satellites : 0	Les anneaux : 0	La distance du Soleil : 108 208 930 km

MARS

Mars est aujourd'hui, après la Terre, la mieux connue de toutes les planètes du système solaire. Sa surface est couverte d'une poussière rouge qui contient du fer. Elle a l'air d'un désert brûlant, mais il y fait toujours froid, même pendant la journée.

Mars ressemble beaucoup à la Terre. On y trouve des calottes de glace aux pôles nord et sud, d'immenses canyons, des vallées, de grandes plaines et des volcans. Mais l'atmosphère y est très différente de celle de la Terre. Sur Mars, on trouve du dioxyde de carbone, le gaz que les êtres humains rejettent en expirant.

Sur Mars se trouve le plus grand volcan du système solaire, le mont Olympus. Il est trois fois plus élevé que le mont Everest.

99

DONNÉES SUR MARS

Le diamètre : 6794 km	Les satellites : 2	Les anneaux : 0	La distance du Soleil : 227 936 640 km

Dans la seconde partie de ton voyage, tu passerais à côté de la Terre. Puis, tu traverserais la ceinture d'astéroïdes pour atteindre les planètes externes. Tu ne pourrais pas atterrir sur ces planètes, car ce sont des boules de gaz. Mais voici ce que tu pourrais voir.

JUPITER

Jupiter est entourée de nuages roses, jaunes, rouges, brun clair et blancs. À cause des vents forts et de la rotation de la planète, les nuages s'étirent en bandes de couleurs. On peut voir une immense tache rouge sur Jupiter. C'est un anticyclone avec des vents soufflant à environ 700 km/h. Il existe depuis au moins 300 ans !

Jupiter est tellement grosse qu'elle pourrait contenir toutes les autres planètes du système solaire.

DONNÉES SUR JUPITER

Le diamètre : 142 800 km	Les satellites : 63	Les anneaux : 3	La distance du Soleil : 778 412 020 km

SATURNE

Saturne est d'un beau jaune citron. Elle est magnifique à regarder avec ses célèbres anneaux. Les vents dans la haute atmosphère sont très violents. Ils sont plus forts que les vents de l'ouragan le plus puissant sur la Terre. Ses anneaux sont faits de milliards de particules de glace et de roche. Ces particules peuvent être aussi petites qu'un grain de sable ou plus grandes qu'une maison. Bien qu'elle soit loin de la Terre, Saturne a été visitée par quatre sondes spatiales depuis 1979.

Titan est le plus gros satellite de Saturne.

DONNÉES SUR SATURNE

Le diamètre : 120 000 km	Les satellites : 46	Les anneaux : 7	La distance du Soleil : 1 426 725 400 km

100

URANUS

La couleur bleu-vert d'Uranus vient du méthane atmosphérique de cette planète. Son axe de rotation est incliné sur le côté. Les pôles d'Uranus occupent la place des équateurs des autres planètes. Selon les astronomes, elle a peut-être été frappée par un gros objet qui l'a fait basculer.

Certains satellites d'Uranus portent le nom de personnages de William Shakespeare.

DONNÉES SUR URANUS

Le diamètre: 51 800 km	Les satellites: 27	Les anneaux: 11	La distance du Soleil: 2 870 972 200 km

NEPTUNE

En raison de sa couleur bleue, Neptune ressemble à un océan tropical. Comme Uranus, sa couleur provient du méthane de son atmosphère. Neptune est glaciale comme toutes les autres planètes gazeuses. Sur Neptune, il y a des vents puissants. C'est une des planètes les plus orageuses de notre système solaire. La sonde *Voyager 2* l'a survolée en 1989.

Il faut plus de 160 ans à Neptune pour parcourir son orbite autour du Soleil.

DONNÉES SUR NEPTUNE

Le diamètre: 49 600 km	Les satellites: 13	Les anneaux: 4	La distance du Soleil: 4 498 252 900 km

Source: Traduction libre. «The Solar System», *KNOW Magazine: The Science Magazine for Curious Kids*, numéro 2, «Out of This World: Exploring Our Solar System».

PARLONS-EN !

- Selon toi, est-il possible de trouver un jour une autre Terre ? Discutes-en avec un ou une camarade.

- En équipe, préparez une annonce publicitaire pour la radio afin d'inciter des touristes à visiter une planète réelle ou imaginaire. Présentez votre publicité à la classe.

Lire un texte explicatif

Un texte explicatif ou informatif fournit des renseignements sur des faits. C'est le cas des textes scientifiques. Ce genre de texte est utile pour expliquer un phénomène, un fait ou une affirmation.

Exprime-toi !

Rappelle-toi un texte explicatif sur l'espace que tu as déjà lu. Discutes-en avec un ou une camarade.

- Quel était le sujet du texte ?

- Où avais-tu trouvé ce texte ? Dans quel type de ressource (livre, magazine ou Internet) ?

- Quelles sont les caractéristiques de ce type de ressource et leur utilité ?

- Où peux-tu trouver des renseignements fiables sur l'espace ?

Voici quelques indices.

Ensemble, dressez la liste des caractéristiques d'un texte explicatif et indiquez l'utilité de chacune.

Caractéristique	Utilité de cette caractéristique
Photos accompagnées de légendes	Elles appuient le texte et offrent des renseignements supplémentaires.

Littératie en action

Lis avec habileté

Précise ton intention.

- Pourquoi lis-tu des textes explicatifs ?

Décode le texte.

- Les textes explicatifs contiennent parfois des termes techniques difficiles à comprendre. Quelles parties de ces mots connais-tu déjà (racine, préfixe, suffixe) ?

Construis le sens du texte.

Applique les stratégies suivantes lorsque tu lis des textes explicatifs.

POSE DES QUESTIONS.
Examine l'information qui se trouve dans le texte ou les images. Que connais-tu déjà sur le sujet ? Qu'aimerais-tu apprendre de plus ?

VÉRIFIE TA COMPRÉHENSION.
Pendant la lecture, fais des pauses après chaque paragraphe ou section. As-tu bien compris ce que tu as lu ? Qu'as-tu appris ?

FAIS UN RÉSUMÉ.
Quelles sont les idées importantes du texte ? Présente-les dans un tableau ou un organisateur graphique.

Analyse le texte.

- Deux scientifiques peuvent écrire sur un même sujet et fournir des renseignements différents. Pourquoi ?

- Est-ce que les données qui existent sur l'espace changent, ou restent-elles toujours les mêmes ? Pourquoi ?

103

Pluton

Soleil

Mercure

Vénus

Terre

Mars

Jupiter

Saturne

Uranus

Neptune

Pluton, une planète naine ?

Le 13 mars 1930, Pluton devenait officiellement la neuvième planète du système solaire. En 2006, l'Union astronomique internationale (UAI) la classe comme planète naine. Pluton fait désormais partie des éléments mineurs du système solaire. Depuis, il n'y a donc plus que huit planètes.

POSE DES QUESTIONS.

Qu'aimerais-tu apprendre au sujet de Pluton ?

Qu'est-ce que Pluton ?

Pluton est un petit astre dont le diamètre est d'environ 2300 km. La Terre est cinq fois plus grosse que Pluton. Celle-ci a été observée pour la première fois le 18 février 1930 par Clyde Tombaugh. Elle est principalement composée de roches et de glace. Sa température moyenne est de − 236 degrés Celsius. Une journée sur Pluton a une durée de 6,39 jours terrestres. C'est presque une semaine sur notre planète.

104

Pourquoi Pluton a-t-elle changé de statut ?

Pendant 75 ans, Pluton a fait partie du système solaire. Depuis sa découverte, les astronomes ont identifié plusieurs autres corps célestes possédant des caractéristiques semblables à celles de Pluton. Certains corps célestes étaient de dimensions similaires, d'autres étaient plus massifs. À la suite de ces découvertes, les critères de classification des planètes ont été révisés. Des scientifiques ont donc proposé de classer Pluton comme étant une planète naine. Le 24 août 2006, Pluton a changé de statut.

Irons-nous un jour sur Pluton ?

Puisque Pluton est très éloignée de la Terre, il est difficile d'aller l'explorer. Il est pratiquement impossible de la voir à l'œil nu. Le 19 janvier 2006, la sonde *New Horizons* a été lancée. Elle devrait graviter près de Pluton à l'été 2015. Ce sera la première sonde qui visitera la planète naine. Alors, rendez-vous en 2015 pour voir des photos de Pluton !

VÉRIFIE TA COMPRÉHENSION.

Qu'as-tu appris au sujet de Pluton ?

Sur cette échelle de comparaison, on voit que Pluton est cinq fois plus petite que la Terre. Elle est même plus petite que la Lune.

FAIS UN RÉSUMÉ.

Quelles sont les idées importantes du texte ? Présente-les dans un tableau.

RENSEIGNEMENTS SUPPLÉMENTAIRES
La dimension des planètes et des planètes naines

Planète	Statut	Diamètre	Planète	Statut	Diamètre
Mercure	Planète	4 878 km	Uranus	Planète	51 800 km
Vénus	Planète	12 104 km	Neptune	Planète	49 600 km
Terre	Planète	12 756 km	Pluton	Planète naine	2 300 km
Mars	Planète	6 794 km	Éris	Planète naine	2 400 km
Jupiter	Planète	142 800 km	Sedna	Planète naine	1 180 km
Saturne	Planète	120 000 km	Cérès	Planète naine	950 km

La comète de Halley

Les comètes sont principalement composées de poussières et de glace.

Le système solaire est constitué de planètes et de satellites. De nombreux corps célestes gravitent autour du Soleil. Les comètes en font partie.

Qu'est-ce qu'une comète ?

Une comète est un corps céleste principalement composé de glace, d'eau et de poussières. C'est un petit corps froid et solide de seulement quelques kilomètres de diamètre. On compare souvent la comète à une boule de neige. Il y a deux catégories de comètes : les périodiques et les apériodiques. Les périodiques sont celles qui reviennent régulièrement. Quand une comète gravite autour du Soleil, les rayonnements du Soleil réchauffent le noyau de la comète. Ceci entraîne une évaporation et crée une enveloppe de gaz. Cette enveloppe devient une longue traînée derrière la comète. C'est à ce moment qu'on peut parfois l'observer. La longue traînée s'appelle la *chevelure* et peut atteindre jusqu'à 100 000 km de long.

POSE DES QUESTIONS.

Qu'aimerais-tu apprendre au sujet de la comète de Halley ?

106

Pourquoi la comète de Halley est-elle intéressante ?

Edmond Halley était un astronome et ingénieur britannique. Il a vécu de 1656 à 1742. Cet homme était fasciné par les comètes. Lors de ses observations, il a noté qu'une comète était visible et que ce phénomène se produisait périodiquement. Il a donc prédit que la comète vue en 1531, 1607 et 1682 reviendrait en 1758. C'est effectivement arrivé. On l'a alors nommée la comète de Halley.

Verrons-nous un jour la comète de Halley ?

La comète de Halley est grande et périodique. Sa période orbitale est de 76 ans. Elle peut donc être vue régulièrement. Elle a été visible en 1910. On l'a vue pour la dernière fois le 9 février 1986. Elle était passée à environ 88 millions de kilomètres du Soleil. Lors de ce passage de la comète, la sonde *Giotto* a pris des photos. Seulement trois comètes ont été observées de près par un vaisseau spatial, dont la comète de Halley. On prévoit le prochain passage de la comète de Halley en 2061. Soyez au rendez-vous !

VÉRIFIE TA COMPRÉHENSION.

Qu'as-tu appris au sujet de la comète de Halley ?

RENSEIGNEMENTS SUPPLÉMENTAIRES		
Les observations de la comète de Halley lors de son dernier passage		
Sonde spatiale	**Provenance**	**Date de l'observation**
Vega 1	Russie	6 mars 1986
Suisei	Japon	8 mars 1986
Vega 2	Russie	9 mars 1986
Sakigake	Japon	11 mars 1986
Giotto	États-Unis	13 mars 1986

FAIS UN RÉSUMÉ.

Quelles sont les idées importantes du texte ? Présente-les dans un tableau.

Mars, la planète rouge

Mars est la voisine de la Terre. On croit que l'exploration sur Mars pourrait fournir des réponses à plusieurs questions concernant la formation de notre système solaire.

Comment est la planète Mars ?

Mars est la quatrième planète du système solaire. Elle est environ deux fois plus petite que la Terre. Son diamètre est de 6794 km. On la surnomme la *Planète rouge* parce qu'elle est recouverte d'une poussière rouge constituée de fer. Il y fait très froid, la température moyenne est de – 63 degrés Celsius. On y a enregistré des températures nocturnes aussi basses que – 100 degrés Celsius.

Sur Mars, on trouve la plus haute montagne et le plus profond canyon du système solaire. On y trouve aussi des volcans gigantesques. Les scientifiques croient que l'eau a déjà coulé sur Mars, il y a très longtemps. Mars ressemble beaucoup à la Terre. Quand elle passe près de la Terre, on peut la voir à l'œil nu.

POSE DES QUESTIONS.

Qu'aimerais-tu apprendre au sujet de la planète Mars ?

108

Pourquoi explorer la planète Mars ?

Depuis les années 1960, l'exploration spatiale a pris de l'ampleur. Diverses sondes ont déjà été envoyées sur Mars pour recueillir des données sur sa structure atmosphérique. Les Soviétiques ont été les premiers à explorer cette planète. Quelques années plus tard, les Américains ont suivi. Les scientifiques tentent toujours de répondre à une grande question : y a-t-il de la vie sur Mars ?

VÉRIFIE TA COMPRÉHENSION.

Qu'as-tu appris au sujet de la planète Mars ?

Quelles sont les plus récentes missions sur Mars ?

Comme Mars a un bon nombre de points en commun avec la Terre, plusieurs missions y sont consacrées. En 2001, la National Aeronautics and Space Administration (NASA) a lancé l'orbiteur *Odyssey* qui a pris des images thermiques de la planète. Cela a permis de découvrir qu'il y a déjà eu une grande quantité d'eau sous la surface du sol martien. En 2004, deux rovers se posent sur la planète, dans le cratère de Gusev. Ces véhicules avaient pour but d'explorer les roches et de trouver des traces de vie sur Mars. En 2006, des images spectaculaires nous viennent de Mars. Dans un futur rapproché, d'autres missions vers cette planète auront sûrement lieu !

Un rover sur Mars. Un rover est un véhicule capable de se déplacer sur la surface des astres.

RENSEIGNEMENTS SUPPLÉMENTAIRES			
L'exploration de Mars : les missions réussies			
Année	**Mission**	**Type d'engin spatial**	**Pays**
1964	Mariner 4	Engin de survol	États-Unis
1969	Mariner 6 et 7	Engin de survol	États-Unis
1971	Mariner 9	Orbiteur	États-Unis
1971	Mars 2 et 3	Orbiteur avec atterrisseur	Russie
1973	Mars 5 et 6	Orbiteur avec atterrisseur	Russie
1975	Viking 1 et 2	Orbiteur	États-Unis
1988	Phobos 2	Orbiteur	Russie
1997	Pathfinder Sojourner	Rover	États-Unis
2001	Odyssey	Orbiteur	États-Unis
2004	Spirit et Opportunity	Rovers	États-Unis
2006	Mars Reconnaissance	Orbiteur	États-Unis
2008	Phoenix	Atterrisseur	États-Unis

FAIS UN RÉSUMÉ.

Quelles sont les idées importantes du texte ? Présente-les dans un tableau.

109

Fais un retour sur tes apprentissages

Tu as...

- discuté de certains phénomènes et de faits sur l'espace;

- lu des textes et observé des tableaux sur l'espace;

- appris des mots nouveaux et des termes scientifiques en lien avec l'espace.

un, une astronome

une mission spatiale

une comète

l'exploration

une sonde

Je peux m'imaginer la vie sur une autre planète. Et toi ?

Tu as aussi...

- utilisé différentes stratégies de lecture.

POSE DES QUESTIONS.

VÉRIFIE TA COMPRÉHENSION.

FAIS UN RÉSUMÉ.

Réfléchis à ta démarche de lecture

De quelles stratégies pourrais-tu te servir pour découvrir le sens d'un mot inconnu ?

Comment peux-tu t'assurer qu'une source d'information est fiable et à jour ?

110

Écris avec habileté

Dans la section «En orbite...», tu as lu des textes explicatifs. Analyse ces textes afin de dégager la structure d'un texte explicatif.

Le CHOIX des mots

■ Pourquoi est-ce important de choisir des **mots précis** dans un texte explicatif?

Exprime-toi!

■ Qu'as-tu remarqué sur la façon d'écrire un texte explicatif?

■ Qu'est-ce qui distingue un texte explicatif d'un texte d'opinion?

■ Comment peut-on capter l'attention des lecteurs et lectrices dans un texte explicatif?

■ Quelles sont les caractéristiques d'un texte explicatif? Dresses-en une liste.

La structure d'un texte explicatif:

– un titre qui donne une idée précise du sujet traité

– des intertitres qui présentent les idées principales

– des paragraphes qui présentent les idées secondaires et des explications

– des termes scientifiques

– un tableau qui appuie les données fournies dans le texte

111

40 ans déjà !

par Johanne Proulx

En mai 1961, John F. Kennedy a dit : « Notre pays doit se vouer tout entier à cette entreprise, faire atterrir un homme sur la Lune et le ramener sur la Terre avant la fin de la présente décennie. » Est-ce que ce n'était qu'un rêve ?

Quelques années plus tard, le 20 juillet 1969, lors de la mission Apollo 11, deux astronautes américains, Neil Armstrong et Buzz Aldrin, à bord du module lunaire *Eagle*, se posaient sur la face visible de la Lune dans la mer de la Tranquillité. Plus de 600 millions de personnes étaient témoins d'un événement qui allait marquer le monde entier. Neil Armstrong, vêtu d'un scaphandre blanc, faisait les premiers pas sur la Lune. Lors de cette mission, Neil Armstrong et Buzz Aldrin ont marché sur la Lune pendant environ trois heures. La mission durait du 16 au 24 juillet et le module lunaire a passé un total de 22 heures sur la Lune. Tout un exploit ! Ces paroles célèbres, de Neil Armstrong, allaient dès lors faire partie de l'histoire de l'humanité : « C'est un petit pas pour l'homme, mais un bond de géant pour l'humanité. » Et les missions Apollo se poursuivent…

D'autres missions ont été menées depuis. Le sol lunaire en était la destination principale. Lors de ces missions, les astronautes rapportaient des échantillons de sol lunaire et de roches pour les étudier. Grâce aux expéditions lunaires, les scientifiques en ont appris plus sur notre satellite naturel. L'exploration spatiale a permis de développer des matériaux comme le textile pare-flamme en kevlar et le coussin gonflable. Dans le domaine médical, l'imagerie IRM a évolué grâce

112

aux recherches liées à l'exploration spatiale.

Apollo 12 est lancée le 14 novembre 1969. Le retour a lieu le 24 novembre. Lors de cette mission, des échantillons de sol lunaire sont recueillis et des photographies de la surface lunaire sont prises. Deux astronautes, Charles Conrad et Alan Bean, marchent à leur tour sur la Lune. Ils sont sortis pendant plus de sept heures. Le module lunaire est resté 32 heures sur la Lune. L'expédition est un succès.

Le 11 avril 1970, la mission Apollo 13 décolle avec, à bord, 3 astronautes : Jim Lovell, Jack Swigert et Fred Haise. Malheureusement, cette mission se termine prématurément alors qu'un réservoir d'oxygène explose en plein vol. Les astronautes doivent se réfugier dans le module lunaire. Ils font le tour de la Lune mais ne s'y posent pas. Le retour

sur la Terre est amorcé plus tôt que prévu. Les astronautes amerrissent le 17 avril, sains et saufs. Malgré ces mésaventures, les missions spatiales continuent.

Le 31 janvier 1971, la mission Apollo 14 est lancée. Lors d'une sortie sur la Lune, Alan Shepard frappe deux balles de golf. Il devient le premier homme à jouer au golf dans l'espace. Lors de deux sorties d'une durée totale de plus de neuf heures, les astronautes Alan Shepard et Edgar Mitchell ramassent des roches. On croit que ces roches comptent parmi les plus anciennes. Le module lunaire a été posé 34 heures sur la Lune. Le retour a lieu le 9 février. Cette mission est couronnée de succès.

Apollo 15 prend son envol le 26 juillet et revient le 7 août 1971. Le séjour sur la Lune est d'une durée de 67 heures. Un rover lunaire fait partie de l'expédition. Ce petit véhicule d'exploration à deux places a permis aux astronautes David Scott et James Irwin de s'éloigner du module lunaire. On a encore approfondi nos connaissances sur la géologie lunaire.

Presque 1 an plus tard, du 16 au 27 avril 1972, la mission Apollo 16 emporte 3 membres d'équipage, John Young, Ken Mattingly et

113

Charles Duke, ainsi qu'un véhicule lunaire. On mène des expériences sur les microbes. Un minisatellite est mis en orbite pour étudier le champ magnétique solaire. Les sorties sur la Lune sont de plus en plus longues. Cette fois-ci, les astronautes ont effectué trois sorties d'une durée totale d'environ 20 heures. L'équipage a passé en tout 71 heures sur la Lune.

Apollo 17 a été la dernière mission à emmener des êtres humains sur la Lune. L'équipage était composé de Eugene Cernan, Ronald Evans et Harrison Schmitt. Cette mission a duré du 7 au 19 décembre 1972. Les astronautes sont restés 75 heures sur la Lune. C'est le 7 décembre, au début de cette expédition, que l'on prenait la célèbre photo de la Terre, «la bille bleue». Cette photo, prise à une distance de 45 000 km, est encore de nos jours l'image la plus célèbre de la Terre.

Les vols spatiaux étant très coûteux, les missions Apollo 18 à 21 n'ont jamais vu le jour. Depuis 1972, on n'a pas remis les pieds sur la Lune.

Les attentes de John F. Kennedy ont été comblées. Quarante ans plus tard, en 2009, la conquête spatiale est toujours un enjeu majeur. Des progrès importants ont été faits dans les domaines scientifique, médical et technologique grâce aux différentes expéditions.

Hubble en est un exemple. Ce télescope spatial a quitté la Terre le 24 avril 1990. Il a coûté environ trois milliards de dollars. Avec cet instrument scientifique, des astronomes peuvent étudier des objets plus ou moins rapprochés de la Terre et recueillir des données sur l'espace.

En 1998, un autre projet spatial d'envergure internationale voyait le jour. La construction de la Station spatiale internationale (SSI) commençait.

Le télescope spatial *Hubble* est de la taille d'un autobus scolaire.

Ce laboratoire scientifique allait servir à étudier les effets de séjours prolongés dans l'espace.

En 2001, *Tomatosphère*, un projet de sensibilisation aux sciences pour les étudiants canadiens et américains, est lancé. Des élèves de la 2e à la 10e année étudient les effets des conditions spatiales sur la croissance de certains aliments. En 2009, le projet bat un record de participation. Plus de 12 000 classes font maintenant partie du projet.

De nos jours, l'Agence spatiale canadienne (ASC) joue un rôle primordial dans l'avancement de la science. Le Canada offre sa contribution en ressources humaines, en haute technologie et en robotique. Plusieurs astronautes canadiens ont participé à divers projets spatiaux. Le Canada a aussi fourni le *Canadarm2*, un bras robotique qui sert à l'assemblage et à l'entretien de la SSI.

Julie Payette et Bob Thirsk sont à bord de la SSI.

La conquête interstellaire a marqué le début du développement technologique et humain. Le prochain voyage vers la Lune est attendu en 2020. Le programme Constellation prévoit envoyer des missions habitées comme celles de la SSI. L'objectif de ces missions ? Mieux comprendre notre système solaire. Peut-être pourra-t-on enfin répondre à la question : « Y a-t-il de la vie ailleurs que sur Terre ? »

VA PLUS LOIN.

1. Avec un ou une camarade, crée un tableau avec les événements rapportés dans cette chronique journalistique. Indiquez le nom de la mission, les dates (départ et retour), le nom des membres de l'équipage et la durée du séjour sur la Lune. Présentez votre travail à la classe.

Mission	Dates (départ-retour)	Membres de l'équipage	Durée du séjour lunaire

2. En équipe, imaginez le prochain voyage sur la Lune en 2020. Écrivez un paragraphe décrivant ce voyage.

115

Une étoile est née

par Michael George

Quels sont les stades de la vie d'une étoile?

Quand une étoile commence à briller, sa surface bouillonne de courants, de turbulences et d'immenses vagues de gaz.

Les étoiles, comme les êtres humains, naissent et meurent. Elles se transforment et changent durant les différents stades de leur vie.

De la bulle de poussières à l'étoile scintillante

Nébuleuse:
Nuage de gaz et de poussières visible dans le ciel.

Les étoiles naissent dans un gigantesque nuage de gaz et de poussières appelé **nébuleuse**. Certaines nébuleuses contiennent de petites bulles denses nommées *globules*. Peu à peu, le globule prend de l'expansion. Après des millions d'années, le globule devient un globe dense et lourd, des centaines de fois plus gros que la Terre.

À mesure que le globe grossit, la matière qu'il contient se comprime. La pression augmente et la température au centre du globe devient extrêmement élevée. Le noyau finit par être tellement chaud que l'étoile se met à luire ou à scintiller.

116

Du maïs éclaté !

Après quelque 10 milliards d'années, la plupart
des étoiles commencent à manquer d'énergie.
Comme l'énergie qui se déplace vers la surface
diminue, l'étoile devient plus petite. Son noyau
est alors comprimé et sa température augmente.
Les **atomes** à l'intérieur du noyau se fusionnent. Cela libère
tellement d'énergie que l'étoile éclate, un peu comme un grain
de maïs.

Ces étoiles élargies sont appelées *géantes rouges*. Ce sont d'énormes
étoiles. La plupart ont un diamètre de 60 à 80 millions de kilomètres.
Elles sont environ 50 fois plus grandes que le Soleil !

Au bout d'un moment, l'étoile recommence à rétrécir et la température
de son noyau augmente. Il devient rapidement si chaud que l'étoile
explose. Ses couches de gaz supérieures sont alors projetées dans l'espace.

Lorsqu'une étoile explose, elle est entourée par ses couches de gaz.

OBSERVE LE TEXTE.
Quels mots scientifiques l'auteur
utilise-t-il dans son texte pour
le rendre plus précis ?

Atome : Minuscule unité
de matière pouvant exister
seule ou en combinaison.

Naines noires et trous noirs

L'étoile qui reste, la **naine blanche**, brille faiblement à travers le nuage de gaz et de poussières. Une naine blanche ne reçoit plus de nouvelle énergie, mais elle continue de luire à cause de sa chaleur. Avec le temps, sa chaleur s'échappe dans l'espace et elle devient un globe sombre : une **naine noire**.

Les étoiles qui sont de 10 à 20 fois plus grandes que le Soleil terminent leur règne de façon dramatique. Quand une étoile de cette taille manque d'énergie, son extraordinaire pesanteur cause un effondrement. Une violente explosion appelée *supernova* se produit. Les couches supérieures de l'étoile sont projetées dans l'espace. Le noyau se compacte jusqu'à ce que l'étoile soit écrasée. Il ne reste alors qu'un intense champ gravitationnel, connu sous le nom de **trou noir**.

La gravité d'un trou noir est extrêmement forte. Rien de ce qui se trouve à une certaine distance ne peut résister à son attraction. Un trou noir peut engloutir des étoiles, des planètes et des systèmes solaires entiers. Tout ce qui pénètre dans un trou noir est perdu à jamais pour cet univers. Rien, pas même un faisceau de lumière, ne peut s'en échapper.

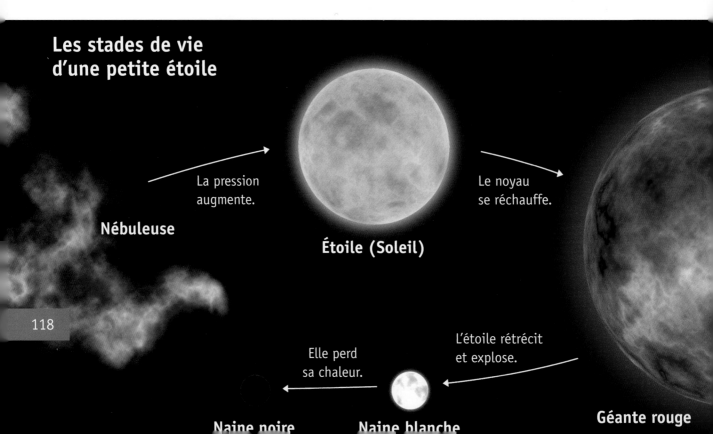

Les stades de vie d'une petite étoile

Nébuleuse

La pression augmente.

Étoile (Soleil)

Le noyau se réchauffe.

L'étoile rétrécit et explose.

Elle perd sa chaleur.

Naine noire

Naine blanche

Géante rouge

À quoi te fait penser cette image d'une galaxie spirale ?

À quoi servent les étoiles ?

Pendant leur longue vie, les étoiles créent les éléments qui forment
les planètes, comme ça a été le cas pour la Terre. Les étoiles nous
laissent également entrevoir l'immensité de notre Univers et l'infinité
du temps. La prochaine fois que tu regarderas le ciel nocturne, pense
à ces merveilles de l'espace.

Source : Traduction libre. Michael GEORGE, «A Star Is Born», coll. Creative Education, The Creative
Company, Mankato, Minnesota.

VA PLUS LOIN. •••

1. Avec un ou une camarade, dresse une liste de mots scientifiques qui sont
   utilisés dans ce texte. Pour chaque mot, notez une définition que vous
   pouvez dégager du texte ou du contexte. Comparez votre définition
   avec celle du dictionnaire.

2. En équipe de trois ou quatre élèves, concevez une affiche représentant
   les stades de vie d'une étoile. Exposez votre affiche dans la classe.

119

L'AIR DE L'EXTRATERRESTRE

par Luc Plamondon

Comment une chanson peut-elle transmettre un message sur l'espace ?

Quelle heure est-il en ce moment ?
Est-ce la fin du monde
Ou le commencement ?

Vous pouvez arrêter vos montres
Voici venu l'instant
Précis
Où les galaxies
Se rencontrent
Dans le temps

Habitants de la planète Terre
Vous n'êtes pas seuls dans le monde
À cent millions d'années-lumière
Nous avons su capter vos ondes

Quelle heure est-il en ce moment ?
Est-ce la fin du monde
Ou le commencement ?

Non, ce n'est pas la fin du monde
Le temps qui passe
Est infini
Le temps d'une vie
N'est qu'une onde
Dans l'espace

120

Sur des milliards d'années-lumière
Que sont vos heures et vos secondes ?
Comment voulez-vous que la Terre
Soit le centre du monde ?

Qu'est-ce que c'est que cette Starmania ?
Vous vous prenez pour qui, pour quoi ?
Moi qui suis d'une autre planète
Je vous surveille dans ma lunette
Et je vous trouve bien minuscules
Bien ridicules !

Quand je passe sur ma comète
C'est à peine si je m'arrête
Je vous vois lancer les fusées

Et bâtir des tours de Babel
Rêvez-vous toujours d'arriver
À monter jusqu'au ciel ?

Qu'est-ce que c'est que cette Starmania ?
Qu'est-ce que c'est
Qu'est-ce que c'est
Que cette Starmania ?

Quelle heure est-il en ce moment ?
Est-ce la fin du monde
Ou le commencement ?

Un rayon de soleil suffit
Et vous êtes tous anéantis
Vous n'avez encore rien compris
Avec vos bombes et vos fusils
Vous êtes tout petits, petits…

Qu'est-ce que c'est que cette Starmania ?
Qu'est-ce que c'est
Qu'est-ce que c'est
Que cette Starmania ?

Source : Luc PLAMONDON, *Paroles de Plamondon*, Montréal, Lanctôt éditeur et Luc Plamondon, 2005, p. 129-131.

VA PLUS LOIN.

1. Avec un ou une camarade, fais une lecture en chœur de cette chanson. Comment les rimes contribuent-elles à créer le rythme de la chanson ?

2. En équipe, faites une recherche dans Internet pour trouver d'autres chansons qui parlent de l'espace. Recueillez tous les textes de la classe pour créer un album de paroles de chansons sur l'espace.

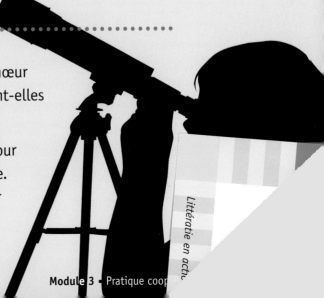

Littératie en acti

À l'œuvre!

Les scientifiques font régulièrement de nouvelles découvertes sur l'espace. Ils transmettent parfois les résultats de leur recherche sous forme de texte explicatif.
En équipe, faites une recherche sur un sujet en lien avec l'espace. Rédigez les intertitres sous forme de questions.

Planifiez votre recherche.

Choisissez une découverte qui vous intéresse au sujet de l'espace. En effectuant votre recherche, pensez aux éléments suivants :

- Sur quel sujet en particulier portera votre recherche ?

- Quelles questions voulez-vous poser ?

- De quels renseignements aurez-vous besoin pour répondre à vos questions ?

- Où allez-vous trouver les renseignements ?

Quelques CONSEILS

- Déterminez des mots clés pour vous aider à cibler l'information que vous voulez trouver.
- Utilisez des mots interrogatifs tels *pourquoi*, *comment* et *qu'est-ce que* pour bâtir vos intertitres.
- Consultez différentes sources : des livres, des magazines et des sites Internet.
- Assurez-vous que les données trouvées sont à jour.
- Trouvez des éléments visuels pour accompagner votre texte.

Effectuez votre recherche.

- Trouvez les renseignements qui permettent de répondre à vos questions.
- Assurez-vous que vos sources sont fiables et que les données sont à jour.
- Regroupez les renseignements recueillis selon la question à laquelle ils répondent.
- Choisissez un titre.

Rédigez votre texte.

- Rédigez un court texte pour répondre à chacune de vos questions.
- Trouvez des photos ou éléments visuels pour accompagner votre texte.
- Présentez des renseignements supplémentaires dans un tableau pour appuyer les données fournies dans votre texte.

Présentez votre recherche.

- Présentez votre recherche à la classe sous forme de questions et réponses.

Faites un retour sur votre travail.

- Avez-vous bien réparti le travail ?
- Avez-vous fourni suffisamment de renseignements pour répondre aux questions ?
- Avez-vous parlé assez fort ?
- Votre présentation a-t-elle été appréciée ? Comment le savez-vous ?
- Que pourriez-vous améliorer la prochaine fois ?

123

Demandez à des astronautes

Quel serait ton plus grand défi si tu vivais dans l'espace ?

OBSERVE LE TEXTE.
Comment une entrevue
est-elle présentée ?

Dans l'espace, les astronautes font les mêmes choses que sur Terre pour rester en vie et en santé. Ils doivent manger, respirer, dormir, faire de l'exercice et se laver. Comment font-ils ces petits riens du quotidien dans l'environnement d'apesanteur de la Station spatiale internationale (SSI) ? Des étudiants et des étudiantes ont posé des questions aux astronautes canadiens à propos de leur vie dans la station. Voici leurs questions et les réponses obtenues.

ÉTUDIANT OU ÉTUDIANTE : Quelles sensations éprouvez-vous en apesanteur ?

ASTRONAUTES : Sur Terre, le sang est pompé par le cœur. La gravité contribue à faire circuler le sang jusqu'aux extrémités du corps, comme les jambes. En apesanteur, ou microgravité, le sang et les autres fluides se logent dans la partie supérieure du torse, ou la poitrine, et dans les sinus. Nos jambes deviennent plus maigres et notre tête prend de l'expansion pour faire de la place à tous ces nouveaux fluides. Par conséquent, nous avons souvent des maux de tête à cause de l'inflammation des sinus. Nous avons même de la difficulté à goûter les aliments.

125

É : Quelles sont vos tâches ménagères dans l'espace ?

A : Sur Terre, la poussière retombe doucement au sol, alors nous devons souvent épousseter, balayer et passer l'aspirateur. Dans l'espace, comme nous sommes en apesanteur, rien ne tombe jamais au sol ! La poussière qui flotte doucement dans l'air est captée par les filtres de nos ventilateurs. Pour retirer la poussière des filtres, nous utilisons un ruban adhésif. Nous avons également un petit aspirateur pour nettoyer les endroits des filtres plus difficiles à atteindre. Les liquides renversés flottent et se collent aux murs de l'engin spatial. Nous les nettoyons avec des lingettes. Mais nous ne faisons pas la vaisselle ! Les aliments et les boissons sont emballés individuellement et nous jetons les contenants vides dans une poubelle. Finalement, nous devons nettoyer la toilette tous les jours pour éviter les débordements et s'assurer qu'elle soit hygiénique.

É : Faites-vous de l'exercice dans la station spatiale ?

A : Il est très important de faire de l'exercice dans l'espace. Durant les missions plus longues, comme les séjours dans la SSI, il faut se garder en forme. Nous devons faire deux heures d'exercice par jour. Nous utilisons un vélo stationnaire et un tapis roulant pour faire travailler les muscles des parties supérieure et inférieure de notre corps. Des sangles nous retiennent solidement à l'appareil d'exercice.

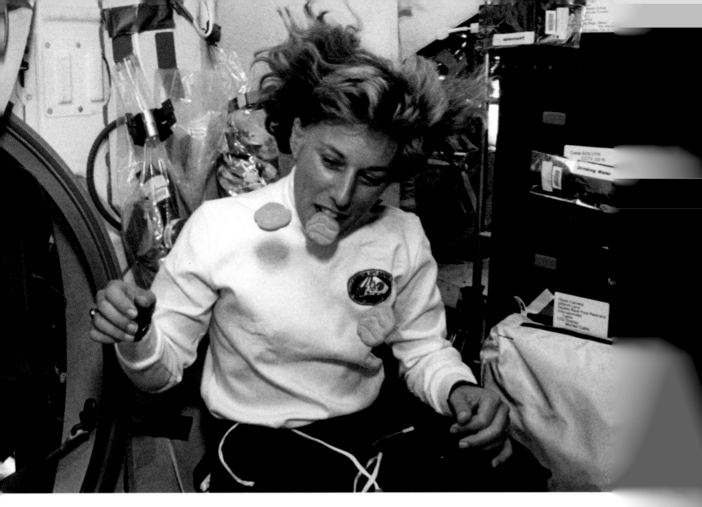

É : Est-ce difficile de manger dans l'espace ?

A : Manger dans l'espace est une tâche difficile à cause de l'absence de gravité. Sur Terre, les aliments restent dans les assiettes. Les liquides peuvent facilement être versés dans un verre ou être bus directement du contenant. Dans un environnement de microgravité, aucune force ne retient les aliments et les boissons. Si les aliments n'étaient pas dans un contenant, ils flotteraient. Il serait alors très difficile de manger. Aussi, si des particules de nourriture se logeaient dans les systèmes de la station, des situations dangereuses pourraient se produire.

    Les aliments qui risquent de laisser flotter de fines particules sont gardés dans des contenants. Certains aliments, comme les pois et les fèves, sont préparés dans une sauce afin qu'ils collent aux ustensiles. Nous utilisons des flacons souples et des sacs étanches pour boire les jus de fruits, le café ou le thé.

É: Y a-t-il des lits dans la SSI?

A: Les astronautes qui passent de longues périodes dans la SSI ont des couchettes personnelles. Ces couchettes ressemblent à des lits superposés. Ce sont des compartiments fermés, empilés les uns sur les autres. Chaque couchette est munie d'un sac de couchage, d'un oreiller, d'une lampe et d'une ouverture d'aération. Il y a aussi un endroit pour ranger les effets personnels.

Quand nous sommes fatigués, nous plaçons nos bottes et nos vêtements extérieurs dans l'espace de rangement de la couchette. Puis nous entrons dans notre sac de couchage et remontons la longue fermeture à glissière. Nous attachons les sangles qui entourent notre taille et nous maintiennent en place dans la couchette. Finalement, nous glissons nos mains dans les courroies situées à nos côtés. Cela empêche nos bras de flotter pendant notre sommeil.

Nous pouvons fermer la porte du compartiment pour réduire l'éclairage provenant de l'extérieur. Ces couchettes sont également équipées d'un poste de communication. Les contrôleurs de la mission au sol s'en servent si un message doit nous être transmis pendant notre sommeil.

Source: Traduction libre. «Ask an Astronaut», gracieuseté de l'Agence spatiale canadienne.

MÉDIA ACTION

...ns des magazines ...ientifiques, des ...urnaux ou dans ...ternet, cherche des ...nseignements sur ... SSI. Qu'as-tu appris? ...mment peux-tu ...ssurer que ces ...nseignements sont ...ables et à jour?

VA PLUS LOIN.

1. Avec un ou une camarade, note ce qui est semblable et ce qui est différent entre la vie sur Terre et la vie dans l'espace.

2. En équipe, dressez une liste des faits qui sont présentés dans ce texte. Dans chaque cas, notez ce qui vous permet de dire qu'il s'agit d'un fait. Comparez votre liste avec celle d'une autre équipe.

Des légendes célestes

Comment une légende peut-elle expliquer un phénomène de l'espace ?

Les peuples autochtones ont transmis, de génération en génération, des légendes à propos du ciel, qui jouent un rôle de guide moral. Les noms autochtones de certaines étoiles et les légendes à leur sujet varient d'un endroit à l'autre, selon l'angle sous lequel on voit ces étoiles dans le ciel et la période de l'année où elles sont visibles. L'astronomie autochtone est différente de la science occidentale. Elle peut nous faire réfléchir à des choses que nous acceptons habituellement sans nous poser de questions, en nous montrant qu'il y a plusieurs manières de concevoir la nature. Les peuples autochtones croient que, avec les ancêtres, nous avons une responsabilité envers toute la nature, celle de contribuer à en prendre soin.

La capture du Soleil

Pour le peuple anishinabe, le Soleil est l'un des symboles les plus puissants de la force vitale. La nécessité de sa présence pour la survie est mise en évidence dans la légende ancestrale de la capture du Soleil.

Cette légende a été racontée aux premiers explorateurs européens et on la raconte toujours dans la province du Manitoba, au Canada.

Selon la culture des Anishinabes, il y a longtemps, lorsque les animaux régnaient sur la Terre, une orpheline vivait à l'orée de la forêt avec son minuscule petit frère nommé Pikojigiiwizens. Elle prenait bien soin de lui, car il était si petit qu'un oiseau aurait pu l'emporter.

130

Un jour, elle lui a fabriqué un arc et des flèches et lui a dit de tuer quelques wabanagozi ou juncos ardoisés, afin de lui faire un beau manteau. Quelque temps plus tard, pendant que sa sœur était sortie marcher dans la forêt, le petit garçon a suivi un sentier qu'elle lui avait dit d'éviter. Bientôt fatigué, il s'est couché sur un monticule où le Soleil avait fait fondre la neige et s'est endormi rapidement. Pendant qu'il dormait, le Soleil a abîmé son manteau en peau d'oiseau. Lorsque le garçon s'est réveillé et a vu son manteau endommagé, il s'est mis en colère contre le Soleil. «Ne pense pas que tu es trop haut, a-t-il crié, je vais me venger.» Le Soleil brillait très fort dans ses yeux et le brûlait. Pendant 20 jours, le petit garçon a pleuré la perte de son manteau et est resté immobile, sans manger. Finalement, il a demandé à sa sœur de lui faire un piège, car il voulait capturer le Soleil. Sa sœur a tressé une corde avec une masse de fils clairs. Le petit garçon a installé son piège à l'endroit précis où le Soleil toucherait la terre à son lever. Le Soleil a été pris au piège et n'a pas pu se dégager malgré tous ses efforts.

Comme le Soleil ne se levait pas, les animaux ont eu peur. Ils ont convoqué une réunion du conseil pour décider qui pourrait aller couper la corde. C'était une opération dangereuse, car le Soleil brûlerait sûrement quiconque s'aventurerait trop près. Même le petit Pikojigiiwizens a essayé, mais le Soleil était trop chaud. Une minuscule souris a offert son aide. Les animaux se moquaient d'elle, mais ils ont fini par accepter sa proposition. La souris a grimpé sur la corde du piège, le plus près possible du Soleil, et a commencé à ronger la corde. La chaleur lui brûlait la fourrure, les yeux, les pieds et les mains. Le piège a été enfin rompu. Le Soleil est monté dans le ciel, et la Terre a été de nouveau inondée de lumière et de chaleur. Lorsque la souris est redescendue sur la Terre, les animaux ont constaté qu'elle était devenue une taupe – ses yeux étaient presque fermés à cause des rayons aveuglants du Soleil.

Depuis ce temps, la taupe préfère vivre dans l'obscurité.

131

La constellation de l'Ours –
qui fait partie de la Grande Ourse

Dans les temps anciens, il n'y avait aucune étoile. Il n'y avait que deux lunes et le Soleil. Un jeune garçon, appelé Petit-Ours, vivait avec son grand-père, nommé Grand-Ours, dans le monde céleste. Les Anishinabes racontent cette légende à propos de Petit-Ours.

Une nuit, assis près du feu avec son grand-père, Petit-Ours lui a posé des questions à propos des deux lunes : «Y a-t-il des gens qui vivent sur ces lunes ? Et pourquoi avons-nous deux lunes alors qu'une seule suffit ?» Le grand-père a mis dans le feu une offrande de tabac que lui avait remise son petit-fils pour honorer les esprits et leur manifester du respect. Il a commencé ensuite à instruire Petit-Ours à propos des deux mondes qui possèdent chacun une lune : «Il y a longtemps, nous partagions le Soleil avec d'autres mondes, car tout était équitable et les gens vivaient en harmonie. Avec le temps, les choses ont commencé à changer et le malheur a conquis rapidement le monde. Les personnes bonnes ont fui et sont venues dans notre monde, mais le malheur les a suivies. Le malheur tentait de contrôler notre vie et notre monde, et notre peuple a demandé de l'aide au Créateur. Le Créateur a renvoyé le peuple du malheur dans son monde, loin du Soleil. Il a pris sa lune et a laissé le peuple du malheur dans le noir. Le Créateur a annoncé ensuite à notre peuple qu'un jour viendrait un enfant qui, une fois sa tâche accomplie sur la Terre, aurait une place particulière dans les cieux auprès de son père, Grand-Ours.»

Petit-Ours était fasciné et ne pouvait pas oublier cette histoire. Une nuit, il a fait un rêve à propos de son arc et de sa flèche, et ce rêve l'a beaucoup perturbé. Le lendemain matin, Petit-Ours a demandé à son grand-père quelle était la signification de ce rêve.

Après un long silence, le grand-père a dit enfin: «Noshins, tu dois te préparer à ce qui va t'arriver. Ni toi ni personne ne peut modifier ta destinée.»

Un jour, Petit-Ours s'est senti obligé d'aller sur la grosse colline située à l'extérieur du village. Prenant son arc et sa flèche, il a embrassé son grand-père pour lui faire ses adieux et a grimpé jusqu'au sommet de la colline. Se tenant bien droit, Petit-Ours a visé soigneusement la plus brillante des deux lunes. De toutes ses forces, il a étiré la corde de son arc le plus loin qu'il pouvait. Lorsqu'il a relâché la corde, la flèche s'est envolée dans le ciel et a atteint la Lune. Il y a eu une énorme explosion, et la Lune a éclaté comme du verre en millions de morceaux. Petit-Ours a été frappé d'émerveillement lorsqu'il a vu le ciel rempli de nouvelles étoiles. C'est à ce moment-là qu'il s'est rendu compte de la signification de son rêve. Pour une dernière fois, il a regardé la cabane de son grand-père et a murmuré: «Adieu, grand-père.»

L'excitation qu'il ressentait accélérait les battements de son cœur à mesure que son esprit montait dans le ciel vers les étoiles et son père.

La Martre et Petit-Ours forment la Grande Ourse dans le ciel.

Source: Musée virtuel du Canada, *Légendes célestes* [en ligne]. (Consulté le 6 novembre 2009.)

VA PLUS LOIN. ••

1. Avec un ou une camarade, choisis une des légendes présentées. Exercez-vous à raconter la légende avec expression.

2. Une légende est un récit traditionnel raconté comme si c'était vrai. En équipe, notez ce qui semble vrai dans une des légendes de cette section. Comparez votre liste avec celle d'une autre équipe.

DESTINATION: JUPITER

À ton avis, comment se passerait un voyage sur Jupiter ?

par Frank Asch

Le *Star Jumper II* a sensiblement le format d'un gros réfrigérateur. Il va du bord de mon pupitre jusqu'à la porte de mon garde-robe et occupe pratiquement tout l'espace libre de ma chambre.

— Eh bien, le voilà ! ai-je annoncé.

Zoé m'a dit d'un air perplexe :

— Ah... Euh... Alex, j'ai déjà vu ton vaisseau et je trouve que c'est vraiment gentil de ta part d'avoir bricolé ce jouet pour ton petit frère, mais...

J'ai aperçu tout à coup une lueur dans son regard, comme si quelqu'un illuminait l'intérieur de son cerveau au moyen d'une lampe de poche :

— Euh... Tu veux dire que... que c'est un *vrai* vaisseau spatial ?

— Aussi vrai que tous ceux que la NASA a lancés dans l'espace, ai-je déclaré en enlevant mon anéantisseur de gravité de ma taille. Et plus perfectionné, *beaucoup plus*.

Zoé se tenait immobile les yeux écarquillés, complètement baba.

J'ai ouvert l'écoutille principale de ma navette, et je me suis faufilé à l'intérieur en l'invitant à me suivre:

— Viens, je vais te faire visiter.

Zoé a hésité, mais seulement une demi-seconde, comme si elle se disait: «Je rêve ou quoi?»

— Voici la soute et la salle des machines, ai-je expliqué en appuyant sur l'interrupteur d'une petite lampe.

— Ici, on va entreposer toute notre nourriture et tous nos bagages, ai-je indiqué en ouvrant deux portes qui donnaient accès aux bacs de rangement. Celui-ci est pour toi. Je rangerai mes affaires dans l'autre.

— Comment ça, *notre* nourriture et *nos* bagages? s'est exclamée Zoé.

Les choses ne se passaient pas comme je l'aurais souhaité. Je m'attendais à ce que Zoé soit complètement emballée en apprenant la vérité sur le *Star Jumper II*.

Puis j'ai compris: peut-être avait-elle besoin d'une démonstration?

— Que dirais-tu d'aller faire un petit tour? Pas nécessaire de partir loin: Jupiter, aller-retour.

— *Où ça?*

— Jupiter! On pourrait s'y rendre et en revenir en quelques minutes.

— Quelques minutes? Tu ne penses pas que c'est le temps qu'il faudra simplement pour sortir ton vaisseau de ta chambre?

J'ai bombé le torse:

— Pas du tout. Ce vaisseau est équipé d'un faufileur intra-atomique. Tout ce que je dois faire, c'est appuyer sur ce bouton et mon appareil générera un vortex de champ de forces magnétiques qui nous permettra de traverser le toit de la maison.

J'ai actionné l'interrupteur et elle s'est exclamée:

— Le *Star Jumper passe à travers les murs?*

— Eh oui!

135

Lentement, le vaisseau s'est soulevé vers le plafond.

— Alex! a crié Zoé, qu'est-ce que tu fais?

— Je te montre comment fonctionne le faufileur, ai-je expliqué en accélérant le défibrillateur à générateur croisé.

Mon amie avait la même expression que lorsqu'elle avait vu l'anéantisseur de gravité: un émerveillement total. J'ai ajusté les gyroscopes pour équilibrer le *Star Jumper*:

— Ne t'inquiète pas, on sera stabilisés dans un moment.

Zoé s'est penchée vers l'avant et a jeté un coup d'œil dans le hublot. Elle s'est exclamée:

— On flotte!

— Oui, oui, ai-je opiné en augmentant le niveau de puissance d'un demi-degré. Nous sommes en mode manœuvre. En mode saut, le vaisseau bouge comme un électron, bondit d'une orbite à l'autre dans l'atome. Instantanément. Il se trouve à un endroit, puis ailleurs l'instant d'après. La distance n'a pas d'importance: une fois que l'on maîtrise un bond, on peut continuer à sauter aussi rapidement et aussi loin qu'on le souhaite, d'astre en astre.

Ensuite, j'ai appuyé sur le bouton de séquence finale. En un clin d'œil de mouche, le *Star Jumper* a bondi de 600 millions de kilomètres de la Terre jusqu'à une orbite au-dessus de la surface de Jupiter.

Tout à coup, c'est comme si nous étions devenus muets. Pendant ce qui m'a semblé un long moment, mais qui se limitait probablement à quelques secondes, nous sommes restés immobiles sur notre fauteuil à regarder par le hublot.

Je me sentais comme un insecte minuscule qui tournoie autour d'une gigantesque pierre précieuse.

Jupiter est si énorme que l'on pourrait y faire entrer la Terre environ un millier de fois.

Elle effectue une révolution complète en un peu moins de 10 heures, plus rapidement que toute autre planète du système solaire. Cette révolution explique le renflement au niveau de son équateur.

Son atmosphère, composée principalement d'hydrogène et d'hélium, tournait au-dessous de nous comme un immense cercle chromatique divisé en rubans de couleurs riches et vibrantes. C'était vraiment le plus beau paysage que nous ayons jamais vu !

Zoé a fini par parler :

— Ouah ! C'est tellement magnifique que je ne comprends pas pourquoi tu t'opposes à ce que l'humanité entière en profite.

— Peut-être à l'avenir, mais pour le moment, je refuse que des étrangers mettent le nez dans *mes* affaires.

— Tu ne veux pas passer à la télé ?

— Pour être interviewé par une meute de journalistes ignorants qui n'arrivent pas à distinguer un neutron d'un proton ? Pas question !

— Mais ton invention est tellement géniale ! *Toi*, tu es si génial… Comme Léonard de Vinci ! Comme Einstein ! Ton génie appartient à l'Univers entier !

J'étais ravi que Zoé me compare à Einstein. Il est mon héros, après tout.

Source : Frank ASCH, *Star Jumper – Journal de bord n° 2 d'un génie*, Montréal, Les éditions de la courte échelle inc., 2008, p. 140-142, 149-154.

VA PLUS LOIN.

1. Avec un ou une camarade, fais un plan de l'histoire. Notez le nom des personnages, la mise en situation, le problème, les événements et la conclusion.

2. En équipe, rédigez une suite à l'histoire. Faites un dessin pour accompagner le texte. Présentez votre travail à la classe.

Personnages	Mise en situation
Problème	
Événements	
Solution	

À ton tour !

C'est à ton tour de mettre en application tes nouvelles connaissances. Conçois un jeu-questionnaire à l'aide de ce que tu as appris sur l'espace.

Prépare tes questions.

- Réfléchis à ce que tu as appris tout au long du module. Survole les textes que tu as lus et choisis au moins cinq faits intéressants.

- Compose une question à choix multiples pour chaque fait que tu as retenu. Offre trois choix de réponses. N'oublie pas qu'un seul choix doit correspondre à la bonne réponse.

- Assure-toi que tes réponses sont plausibles.

Présente ton jeu-questionnaire.

- Pose tes questions à trois ou quatre camarades de classe.

- Quand une personne a donné sa réponse, dis-lui si elle est bonne. Si tel n'est pas le cas, donne-lui la bonne réponse, si possible en ajoutant quelques renseignements.

- Échangez vos questions en classe.

- Vous pourriez inviter une autre classe à participer à votre jeu-questionnaire.

138

Gros plan sur tes **apprentissages**

Prépare-toi.

- Rassemble tes notes et les travaux réalisés dans ce module.

Réfléchis et discute.

Travaille avec un ou une camarade.

- Ensemble, lisez les objectifs d'apprentissage présentés à la page 96.
- Évalue ton travail. As-tu atteint les objectifs ?
- Trouve des exemples qui montrent que tu as atteint les objectifs.

Fais tes choix.

- Choisis deux travaux qui montrent que tu as atteint les objectifs d'apprentissage. Un même travail peut montrer que tu as atteint plusieurs objectifs.

Justifie tes choix.

- Décris ce que chaque travail montre au sujet de tes apprentissages.

Mes choix	J'ajoute ces travaux à mon portfolio parce que…

Réfléchis.

- Qu'as-tu appris sur la recherche, la collecte et la communication d'information sur un sujet scientifique ?
- Qu'as-tu appris sur l'espace ?
- Quels textes ou quelles activités as-tu le plus aimés ? Lesquels t'ont le plus fait réfléchir ?

139

Des divertissements sur mesure

OBJECTIFS D'APPRENTISSAGE

Dans ce module, tu vas faire les tâches suivantes :

- écouter, lire et écrire des textes d'opinion liés aux divertissements ;

- lire une variété de textes sur les divertissements, dont des éditoriaux, un reportage, des haïkus, une marche à suivre, des bandes dessinées et un récit d'aventures ;

- écrire un article pour un journal scolaire sur un sujet de ton choix en lien avec le divertissement ;

- rédiger et présenter une critique sur un sujet lié à un divertissement.

140

appuyer une opinion
avoir une influence
exercer un métier
exprimer son opinion
pratiquer un sport
répondre aux questions
d'un sondage

141

Fais ton choix !

Qu'aimes-tu faire dans tes temps libres ?

Quel est ton loisir préféré ? Es-tu une personne mordue de sports, de cinéma, ou encore préfères-tu la musique et les arts ? À ton avis, quels sont les loisirs préférés des autres jeunes de ton âge ?

Il y a plusieurs types de divertissements. Réponds aux questions du sondage pour découvrir tes préférences. Tu pourras ensuite comparer tes réponses avec celles d'autres élèves de 6e année au Canada.

142

Sondage sur les loisirs

1. Quel style de musique préfères-tu?

   A le rap ou le hip hop   **D** la pop ou les chansons du palmarès

   B le rock classique

   C le rock alternatif   **E** le métal

2. Si tu pouvais assister à un seul des événements suivants, lequel choisirais-tu?

   A un match de la Ligue nationale de hockey (LNH)

   B un spectacle de ton groupe de musique préféré

   C une compétition de planche à roulettes

   D une cérémonie de remise de prix comme les Juno ou les Félix

   E un tournoi de jeux vidéo

3. Quel genre d'émission de télévision te plaît le plus?

   A une émission de téléréalité   **D** une émission dramatique

   B une comédie de situation   **E** un documentaire

   C des dessins animés

4. Si tu pouvais apprendre un des métiers du cinéma ou de la télévision, lequel choisirais-tu parmi ceux-ci?

   A la scénarisation

   B la réalisation (choisir les scènes et diriger les acteurs et les actrices)

   C l'interprétation de rôles (être un acteur, une actrice)

   D la composition de musique ou de bandes sonores originales

   E la production de publicités

5. Si tu exerçais un métier dans les arts visuels, dans quel domaine te dirigerais-tu?

   A la peinture   **D** l'animation par ordinateur

   B la sculpture   **E** la photographie

   C la bande dessinée

143

RÉSULTATS du sondage

On a effectué le même sondage auprès de 100 filles et 100 garçons de 6e année de partout au Canada. Voici les résultats.

Filles   Garçons

1. Quel style de musique préfères-tu ?

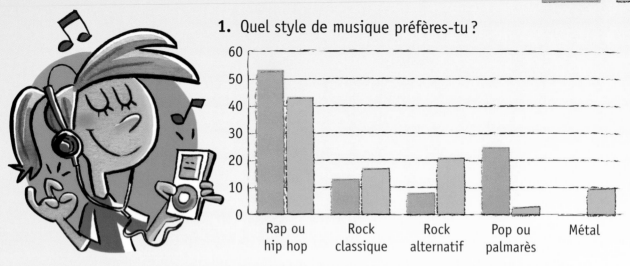

Rap ou hip hop · Rock classique · Rock alternatif · Pop ou palmarès · Métal

2. Si tu pouvais assister à un seul des événements suivants, lequel choisirais-tu ?

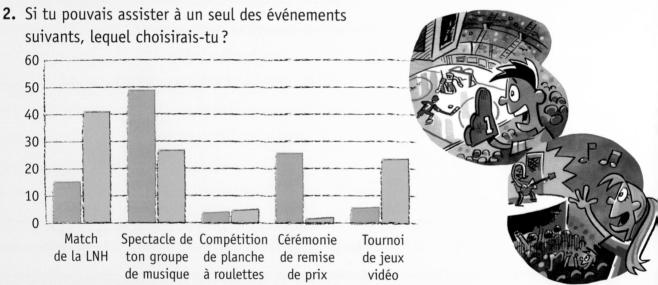

Match de la LNH · Spectacle de ton groupe de musique · Compétition de planche à roulettes · Cérémonie de remise de prix · Tournoi de jeux vidéo

3. Quel genre d'émission de télévision te plaît le plus ?

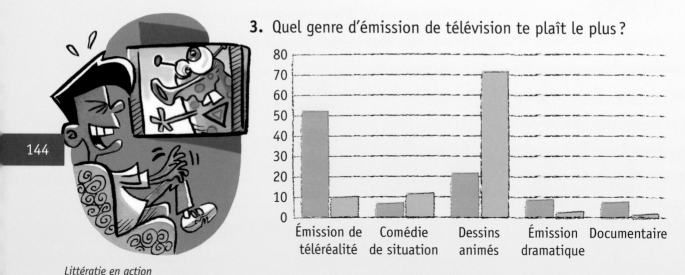

Émission de téléréalité · Comédie de situation · Dessins animés · Émission dramatique · Documentaire

144

Littératie en action

4. Si tu pouvais apprendre un des métiers du cinéma ou de la télévision, lequel choisirais-tu parmi ceux-ci ?

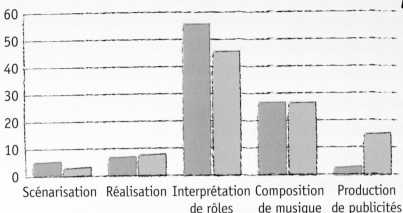

5. Si tu exerçais un métier dans les arts visuels, dans quel domaine te dirigerais-tu ?

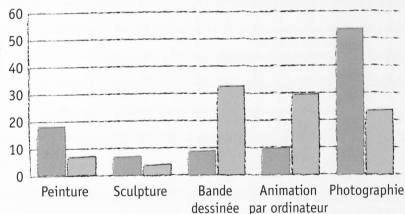

PARLONS-EN !

- Quelle information peut-on dégager de chaque diagramme ?
  Avec un ou une camarade, discute des résultats de ce sondage.
  Quelle conclusion générale pouvez-vous tirer ?

- Selon toi, un sondage est-il un moyen efficace d'apprendre l'opinion des gens sur un sujet ? En équipe, formulez une nouvelle question sur les divertissements et posez-la à des élèves de votre école. Présentez les résultats de votre sondage à l'aide d'un diagramme.

145

Lire un texte d'opinion

Dans un texte d'opinion, une personne présente des commentaires personnels sur un sujet donné. Le texte d'opinion vise à convaincre ou à inciter des gens à partager une opinion.

Exprime-toi !

Travaille avec un ou une camarade. Discutez des questions suivantes :

- Pourquoi est-ce important de connaître l'opinion des autres ?
- Pourquoi valorises-tu l'opinion de certaines personnes plus que d'autres ?
- Qu'est-ce qui rend un texte d'opinion crédible ?
- Où peux-tu trouver des textes d'opinion ?

Voici quelques indices.

Ensemble, dressez une liste de personnes dont les opinions sont importantes selon vous. Justifiez votre choix.

Nom de la personne	Pourquoi accordez-vous de l'importance à ses opinions ?
Louise Charron	Elle est juge à la Cour suprême du Canada. Alors, elle connaît plein de choses au sujet des droits des personnes.
Dave Morissette	Il est analyste de hockey à la télévision. Pour occuper ce poste, il doit bien connaître ce sport.

Lis avec habileté

Précise ton intention.

■ Pourquoi lis-tu des textes d'opinion?

Décode le texte.

■ Dans un texte d'opinion, les auteurs et auteures présentent des faits et expriment leurs opinions ou celles d'autres personnes. Lis attentivement l'exemple. D'après toi, est-ce un fait ou une opinion?

Construis le sens du texte.

Applique les stratégies suivantes lorsque tu lis des textes d'opinion.

UTILISE TES CONNAISSANCES. Que connais-tu déjà sur le sujet présenté dans ce texte d'opinion? As-tu une opinion sur ce sujet?

VISUALISE. Quelles images te viennent en tête lorsque tu lis ce texte?

FAIS UNE SYNTHÈSE. Relève les idées principales du texte. En quoi ces idées sont-elles semblables à ce que tu connais déjà sur le sujet présenté?

Analyse le texte.

■ La personne qui a écrit ce texte a-t-elle réussi à t'influencer? Comment?

■ Y a-t-il des gens qui pourraient ne pas être d'accord avec cette personne? Quels arguments pourraient-ils utiliser pour justifier leurs opinions?

147

La MUSIQUE
peut-elle aider les parents à mieux connaître leurs enfants ?

par Anjij Béliveau, 14 ans

UTILISE TES CONNAISSANCES.

Que connais-tu du sujet présenté ?

Avant l'invention des baladeurs numériques, les jeunes avaient moins facilement accès à la musique de leur choix. Aujourd'hui, la musique est au cœur de leurs activités. En fait, les jeunes sont parmi les plus grands consommateurs de musique. Pour eux, la musique constitue une véritable source de plaisir et de divertissement. Elle évoque des sentiments de joie ou de tristesse, d'espoir ou de désespoir. Comme la musique fait partie intégrante de la culture et de la vie des jeunes, peut-elle aider les parents à mieux connaître leurs enfants ?

Littératie en action

VISUALISE.

Quelles images te viennent en tête lorsque tu lis ce texte ?

Les chansons parlent de la vie : de nous tous, de vous et de moi. À mon avis, écouter la musique de leurs enfants pourrait permettre aux parents de mieux les connaître.

Selon une étude récente, 92,7 % des jeunes de 15 à 24 ans écoutent régulièrement de la musique. Par ailleurs, on remarque que les goûts musicaux changent avec les générations. La popularité des groupes ou des chanteurs et chanteuses ne dure pas très longtemps. Par exemple, mes goûts musicaux ne sont pas les mêmes que ceux de mes parents. Ainsi, la musique devient un moyen de se démarquer de la génération précédente. C'est aussi un moyen d'exprimer nos goûts, nos rêves et nos sentiments.

«À mon avis, les parents devraient parler avec leurs enfants de la musique qu'ils écoutent.»

Certains diront qu'être parent, ce n'est pas simple. Je dirais que l'adolescence n'est pas une période facile non plus. Cependant, il est important que les parents prennent le temps de parler avec leurs enfants. La musique peut être un bon sujet de conversation entre les parents et leurs enfants. Je pense qu'en parlant de la musique, on peut mieux connaître une personne. En discutant de nos goûts musicaux avec les gens, on peut créer des liens d'amitié intéressants.

FAIS UNE SYNTHÈSE.

Quelle est l'opinion exprimée dans ce texte ? Partages-tu cette opinion ? Explique pourquoi.

Je crois que les parents devraient vraiment parler avec leurs enfants de la musique qu'ils écoutent et qu'ils apprécient. On sait que l'entourage le plus influent pour une jeune personne, c'est celui avec qui elle passe la majeure partie de son temps. Alors, n'est-ce pas important pour les parents de passer plus de temps avec leurs enfants ? Qu'en pensez-vous ?

149

La TÉLÉVISION
a-t-elle une influence sur le développement des enfants ?

par Olivier Bouchard, 15 ans

UTILISE TES CONNAISSANCES.

Que connais-tu du sujet présenté ?

La télévision occupe une grande partie de la vie quotidienne des familles. Elle peut avoir une influence directe et indirecte sur nos habitudes de consommation, notre savoir, notre culture et nos loisirs. Elle nous renseigne aussi, par exemple, sur l'actualité, la météo, la musique et les sports. La télévision influence la vie familiale, mais est-ce qu'elle agit aussi sur le développement des enfants ?

À mon avis, les parents doivent limiter le nombre d'heures que les enfants passent devant le petit écran et discuter avec eux du contenu visionné. D'après la Société canadienne de pédiatrie, le manque d'encadrement des enfants devant la télévision est l'une des causes de l'obésité, de l'augmentation de comportements violents et d'une baisse du rendement scolaire chez les jeunes. De plus, la Fondation des maladies du cœur du Canada affirme que 1 enfant sur 4, âgé de 7 à 12 ans, est obèse. Afin de remédier à cette situation, la Fondation conseille entre autres aux parents de fermer la télévision aux heures des repas.

150

Pour sa part, Statistique Canada a démontré que les jeunes passent près de 15 heures par semaine devant la télévision. Ainsi, on peut se demander quelles conséquences ce temps passé devant le petit écran peut avoir sur l'épanouissement et le développement des enfants. Je crois que c'est la responsabilité des parents de s'assurer que leurs enfants consacrent aussi du temps à la lecture, à la pratique d'activités sportives, ou autres loisirs.

VISUALISE.
Quelles images te viennent en tête lorsque tu lis ce texte ?

Certaines personnes diront que les émissions de qualité peuvent transmettre des valeurs importantes aux jeunes et leur apprendre des leçons de vie. D'autres ajouteront que certaines émissions donneront même l'occasion aux parents de discuter avec leurs enfants de sujets délicats ou controversés. Toutefois, il faut reconnaître que la télévision peut avoir une mauvaise influence sur les jeunes et qu'il importe d'en minimiser les effets négatifs.

«À mon avis, les parents doivent limiter le nombre d'heures que les enfants passent devant le petit écran.»

Les parents devraient prêter une attention particulière à la place que la télévision occupe dans la vie de leurs enfants. Je crois qu'ils devraient participer au choix d'émissions, limiter le nombre d'heures passées à regarder la télévision et s'assurer que leurs enfants ont toutes sortes d'activités en dehors de leurs devoirs et de la télévision. Rien n'influence plus les jeunes que l'exemple de leurs parents. Les parents pourraient donner l'exemple et passer leur propre temps de loisirs à lire, à bricoler, à participer à la vie communautaire et, surtout, à faire des activités avec leurs enfants. N'est-ce pas le plus important rôle des parents ? Qu'en pensez-vous ?

FAIS UNE SYNTHÈSE.
Quelle est l'opinion exprimée dans ce texte ? Partages-tu cette opinion ? Explique pourquoi.

151

Le SPORT est-il dangereux pour les jeunes ?

par Lo Shen Li, 16 ans

La plupart des gens s'adonnent à un sport ou à une activité physique et en retirent une certaine satisfaction. Depuis des siècles, on sait que la pratique de sports est essentielle au développement physique, social et émotionnel des jeunes. Cependant, on peut aussi se poser la question suivante : y a-t-il un danger à pratiquer un sport ou une activité physique ?

À mon avis, la pratique d'un sport permet d'apprendre le respect des autres et des règlements, et offre une occasion de se faire des amis. On y développe notamment l'esprit d'équipe. Toutefois, la pratique d'un sport ou d'une activité physique peut aussi comporter des risques et causer de graves accidents. Donc, il faut faire preuve de prudence et respecter toutes les règles de base de sécurité.

UTILISE TES CONNAISSANCES.

Que connais-tu du sujet présenté ?

Selon une étude de la Régie de la sécurité dans les sports, plus de 200 000 personnes par année au Canada doivent consulter un professionnel de la santé à la suite d'une blessure d'origine sportive. Au Canada, le hockey est le sport qui entraîne le plus grand nombre d'accidents, suivi du ski alpin, puis des sports de balle comme le tennis et le baseball. Quant aux décès, on attribue la moitié des cas enregistrés aux activités aquatiques. Pour sa part, le vélo est responsable de près du quart des cas de mortalité.

Certains spécialistes du sport affirment que le goût de la performance constitue un risque important pour la santé. Même s'ils admettent que les accidents sont inévitables, ils soutiennent qu'un entraînement intensif peut causer des blessures graves. Chaque année, au Canada, des milliers de personnes subissent des blessures parce qu'elles s'entraînent trop rigoureusement.

Il est important que les jeunes pratiquent un sport pour rester en bonne santé, et ce, tout en s'amusant. Toutefois, je crois qu'un entraînement intelligent, bien dosé et progressif, qui respecte les règles et les conseils de sécurité est de mise pour éviter la plupart des blessures et des accidents. De plus, pour pratiquer un nouveau sport en toute sécurité, il est conseillé de suivre des cours de base. Surtout, il ne faut pas hésiter à poser des questions sur les techniques à employer et sur l'équipement à utiliser. Alors, le sport peut-il être dangereux ? À mon avis, oui, si les conseils de sécurité et l'esprit sportif ne sont pas respectés. Qu'en pensez-vous ?

VISUALISE.
Quelles images te viennent en tête lorsque tu lis ce texte ?

« À mon avis, le sport est dangereux si les conseils de sécurité et l'esprit sportif ne sont pas respectés. »

FAIS UNE SYNTHÈSE.
Quelle est l'opinion exprimée dans ce texte ? Partages-tu cette opinion ? Explique pourquoi.

153

Fais un retour sur tes apprentissages

Tu as...

- discuté des divertissements préférés des jeunes;
- lu des textes d'opinion liés à des divertissements populaires;
- appris des mots nouveaux et des expressions en lien avec les divertissements.

> J'aime écouter de la musique classique. Je trouve cela relaxant. Qu'en penses-tu?

transmettre des valeurs

une génération

se démarquer

rigoureusement

un encadrement

l'esprit sportif

UTILISE TES CONNAISSANCES.

VISUALISE.

FAIS UNE SYNTHÈSE.

Tu as aussi...

- utilisé différentes stratégies de lecture.

Réfléchis à ta démarche de lecture

Pourquoi est-ce important de pouvoir dégager les points de vue explicites et implicites dans un texte d'opinion? Quelles stratégies pourrais-tu utiliser pour comprendre un mot que tu ne connais pas?

Écris avec habileté

Dans la section « Une question d'opinion »,
tu as lu des textes d'opinion. Analyse
ces textes afin de dégager la structure
d'un texte d'opinion.

**Le STYLE
et la VOIX**

■ Pourquoi est-ce
important de tenir
compte des
destinataires et de
moduler le **ton** dans
un texte d'opinion ?

Exprime-toi !

■ Qu'as-tu remarqué sur la façon d'écrire un texte d'opinion ?

■ Qu'est-ce qui distingue un texte d'opinion d'un récit ?

■ Comment peux-tu appuyer une opinion dans un texte ? D'après toi,
qu'est-ce qui est le plus efficace pour convaincre une autre personne ?

■ Quelles sont les caractéristiques d'un texte d'opinion ? Dresses-en
une liste.

La structure d'un texte d'opinion :

– une introduction qui présente
le sujet et qui lance la question
de départ

– un développement dans lequel
on annonce son point de vue et
qui présente des arguments pour
l'appuyer

– une conclusion, un résumé des
raisons qui justifient l'opinion

155

QU'EST-CE QUE

par Jessica Westhead

Pourquoi les gens regardent-ils des émissions de téléréalité ?

LA TÉLÉRÉALITÉ ?

Imagine la situation suivante : Tu t'assois à la table pour manger et tu demandes à ton père de te passer le sel et le poivre. Il prend un micro et commence à chanter une chanson sur le sel et le poivre. Il fait la révérence et ton frère lui déclare : «C'est la plus mauvaise chanson que j'aie jamais entendue. Tu es congédié !»

Puis ta mère te demande si tu es d'attaque pour le plat principal. Mais ce n'est pas ta mère. En fait, c'est la mère d'une autre famille. Elle dépose une assiette fumante devant toi et te dit : «J'espère que tu aimeras mon ragoût de vers et asticots !»

«Tu ferais mieux de le manger. C'est tout ce que nous avons trouvé dans la jungle et nous avons besoin d'énergie pour les épreuves de demain. Tu ne voudrais pas qu'on t'expulse de l'île, pas vrai ?» dit ta sœur.

«D'accord», lui réponds-tu en soulevant ta fourchette. Tu regardes droit dans la lentille d'une des caméras et tu prends une bouchée.

Ce n'est qu'un exemple du GOÛT parfois douteux de certaines émissions de téléréalité que nous présente la télévision. Ces émissions braquent les projecteurs sur des gens ordinaires qui vivent des situations extraordinaires. Les opinions sur cette tendance de la télévision sont partagées. Il semble qu'on les adore ou les déteste.

157

LA TÉLÉRÉALITÉ: POUR...

OBSERVE LE TEXTE.

Comment les *pour* et les *contre* sont-ils présentés pour capter notre attention ?

Les émissions de téléréalité valent-elles la peine d'être regardées ?

Vaincre ses peurs

Les émissions de téléréalité peuvent nous aider à vaincre nos peurs. Parler en public te terrorise ? Ou aurais-tu davantage peur de manger une assiette de ragoût aux vers et aux asticots ? Peu importe ce qui t'effraie, il est inspirant de voir une personne comme soi faire face à une crainte similaire, et la vaincre.

J–J–JOLI SERPENT !

De vraies personnes et de vraies possibilités

Au lieu de nous présenter des célébrités trop parfaites qui attirent tellement l'attention de nos jours, la téléréalité présente de vraies personnes. Les téléspectateurs et téléspectatrices entrent dans la vie de personnes réelles, et non dans la vie de personnages sortis d'une œuvre de fiction. Ils regardent des «gens ordinaires» poursuivre leurs rêves et surmonter des obstacles qui se présentent en chemin. On encourage ainsi les jeunes à aspirer à un but réel, et non à une existence hollywoodienne complètement irréaliste.

Du plaisir pour toute la famille

Les émissions de téléréalité peuvent être amusantes à regarder en groupe. Se laisser prendre par l'action est formidable, surtout quand le groupe d'amis et la famille sont là pour acclamer ou huer les participants avec toi. Beaucoup de ces émissions encouragent le travail d'équipe. Elles mettent en scène des personnes provenant de milieux différents qui mettent leurs différences de côté pour atteindre un but commun.

ou CONTRE ?

Alors… quel est le problème avec la téléréalité ?

N'essayez pas cela à la maison !

Beaucoup d'émissions de téléréalité nous montrent des gens en train de faire des choses peu sécuritaires, voire dangereuses. On rapporte que des enfants, et même des adultes, se sont blessés en essayant de reproduire ce qu'ils avaient vu à la télévision. Les gens ne se rendent pas compte que ces émissions utilisent de l'équipement de sécurité et que du personnel qualifié est présent pour réagir en cas de besoin.

À quel point cette réalité est-elle *réelle* ?

Les jeunes qui regardent beaucoup d'émissions de téléréalité présentant la richesse ou la gloire comme la seule réussite valable peuvent développer des attentes irréalistes. Ne pas se sentir *à la hauteur* des participants et participantes peut provoquer un sentiment d'insatisfaction. La *réalité* telle que présentée dans ces émissions peut décourager les jeunes de vivre dans le présent et les empêcher de valoriser leurs propres réussites.

Le meilleur du pire ?

La téléréalité n'est pas réelle. C'est la *version* de la réalité qu'un producteur ou une productrice a choisi de nous montrer. Les épisodes sont montés de façon à mettre en valeur les moments les plus excitants, et parfois ce qu'il y a de plus vilain chez les gens. Des experts croient que ces émissions font ressortir les plus mauvais côtés de la nature humaine. Ça ne représente pas un bel exemple pour les jeunes.

159

QU'EN PENSES-TU ?

C'est maintenant à toi de dire ce que tu en penses! Les émissions de téléréalité sont-elles inoffensives, inspirantes et divertissantes… ou sont-elles mauvaises pour l'estime de soi, et même pour la santé ?

La téléréalité: un sain divertissement ou une mauvaise influence ?	
POUR	**CONTRE**
• Elle aide les gens à vaincre leurs peurs.	• Elle peut inciter les téléspectateurs et téléspectatrices à reproduire des cascades dangereuses.
• Elle montre des exemples inspirants de vraies personnes qui vivent des situations réelles.	• Elle crée des attentes irréalistes qui peuvent nuire à l'estime de soi.
• Elle encourage le travail d'équipe.	• Elle encourage certains comportements inappropriés.

MÉDIA ACTION

Rassemble des articles et des critiques qui traitent d'émissions de téléréalité. Quels sont les effets positifs et négatifs de ces émissions selon ces textes ?

VA PLUS LOIN.

1. Quels arguments sont les plus convaincants pour toi, les *pour* ou les *contre*? Avec un ou une camarade, rédige l'ébauche d'une lettre destinée à un réseau de télévision dans laquelle vous exprimez votre opinion sur une ou plusieurs émissions de téléréalité.

2. En équipe, effectuez un sondage auprès des élèves de votre école afin de déterminer l'émission de téléréalité la plus populaire. Présentez les résultats de votre sondage dans le journal de votre école ou affichez-les dans la classe.

160

Expressions artistiques

par Léo-James Lévesque

OBSERVE LE TEXTE.
Quels mots et expressions l'auteur utilise-t-il pour éviter les répétitions ?

D'après le dictionnaire, on appelle *artiste* toute personne qui pratique un art. Les artistes créent des œuvres portant l'empreinte de leur personnalité. Au Canada, on les retrouve dans divers domaines. Voici quelques artistes canadiens et canadiennes qui ont su s'exprimer et partager des éléments de leur culture par leur art.

> Pratiquer un art est-il un divertissement ?

Margo Lagassé, sculptrice

Margo Lagassé est une artiste de St. Paul, en Alberta. Elle est reconnue partout dans le monde pour ses sculptures et ses poteries. En 2005, on lui a décerné le prix Sylvie-Van-Brabant pour son excellence en création artistique. Les réalisations de cette artiste exceptionnelle peuvent être admirées au Musée canadien des civilisations, à Gatineau, et à la cathédrale St. Paul, en Alberta.

Margo Lagassé a aussi étudié la musique, les langues et la philosophie.

161

Swing, groupe de musique techno-trad

Swing est un groupe franco-ontarien composé du duo Michel Bénac et Jean-Philippe Goulet. Après plus de 10 ans d'existence et au-delà de 900 spectacles au Canada et ailleurs, Swing a gagné plusieurs prix et a été finaliste au prix Juno 2009 du meilleur album francophone de l'année, avec leur album *Tradarnac*. Ces artistes sont appréciés des jeunes et des moins jeunes pour leur style qui marie le folklore à une énergie moderne. Leurs chansons accrocheuses et leur tempo techno-trad font de Swing un groupe musical fort intéressant. Lorsqu'on écoute ce duo, on oublie ses petits tracas et on se laisse emporter par le rythme.

Swing crée un son irrésistible qui sait divertir les foules !

Joseph Wu pratique son art depuis qu'il a trois ans.

162

Cette sorte d'œuvre d'art s'appelle un *monotype*.

Joseph Wu, artiste d'origami

L'origami est l'art de plier (*oru*) un simple carré de papier (*kami*) et de le transformer en personnage fascinant. Cet art, originaire du Japon, s'est largement développé au fil du temps dans le monde. Certaines personnes plient du papier pour s'amuser et se divertir. D'autres sont des maîtres de l'origami et créent de véritables chefs-d'œuvre en papier, sans utiliser de colle et en ayant rarement recours aux ciseaux. Joseph Wu, cet origamiste de Vancouver, est reconnu pour ses modèles d'animaux (dragons, insectes, oiseaux, etc.) et d'autres objets réalisés selon l'art du pliage.

Joyce Majiski, artiste multidisciplinaire

Joyce Majiski est née à Sudbury, en Ontario, puis elle est déménagée à Whitehorse, au Yukon. Cette artiste multidisciplinaire s'adonne entre autres à la peinture et au dessin. Elle est surtout reconnue pour ses gravures et ses monotypes représentant la nature sauvage du Yukon. Les œuvres de Joyce Majiski sont fortement influencées par ses expériences comme biologiste et guide en région sauvage.

163

Todd Labrador, artiste de la fabrication de canots

Todd Labrador est né à Bridgewater en Nouvelle-Écosse. Todd a participé au programme d'arts autochtones aux sites des Jeux olympiques de Vancouver en 2010.

Également connu sous le nom de *Waterdancer*, cet artiste mi'kmaq de la Nouvelle-Écosse fabrique des canots d'écorce de bouleau selon la méthode traditionnelle de son peuple. Son père et son grand-père, qui fabriquaient des canots et des paniers, lui ont transmis leurs connaissances et leurs techniques artistiques.

La fabrication de canots exige à la fois la collaboration des jeunes et des aînés. Les aînés assurent la transmission des techniques et des connaissances. Les jeunes s'occupent de la fabrication. Ainsi, tout le monde en bénéficie. De plus, cela éveille un sentiment de fierté dans la communauté. Pour sa part, Todd partage ses connaissances et ses traditions ancestrales avec les jeunes dans les écoles de sa région. Il est fier de parler de la fabrication du canot d'écorce de bouleau, un héritage que son peuple a donné au reste du monde.

Todd Labrador contribue à ce que la méthode de fabrication traditionnelle de canots ne soit pas oubliée.

Gabrielle Roy, auteure (1909 - 1983)

Si lire et écrire sont des divertissements, Gabrielle Roy a bien su se divertir et divertir d'innombrables lecteurs et lectrices. Née à St. Boniface, au Manitoba, Gabrielle Roy est une auteure franco-manitobaine très célèbre. En fait, elle est la première Canadienne à avoir accédé au titre d'auteure classique. Gabrielle Roy est la plus jeune d'une famille de 11 enfants. Pendant plusieurs années, elle a exercé le métier d'institutrice dans sa province d'origine et y a fait du théâtre amateur. En 1945, elle publie son premier roman, *Bonheur d'occasion*. C'est ce roman qui l'a fait connaître au Canada et à l'étranger.

L'immense talent de Gabrielle Roy a été souligné par de nombreux prix littéraires.

VA PLUS LOIN.

1. Avec un ou une camarade, discute des artistes présentés dans ce texte. Choisissez un ou une de ces artistes. Quelle question poseriez-vous à cette personne si vous en aviez l'occasion ? Effectuez une petite recherche pour trouver la réponse à votre question. Présentez votre travail à la classe.

2. En équipe, effectuez une recherche sur un artiste franco-canadien ou une artiste franco-canadienne de votre choix. Rédigez le profil de cette personne. Inspirez-vous des profils présentés dans ce texte.

Un haïku, c'est voir la

Un haïku est un poème d'origine japonaise. Il est composé de trois vers seulement. C'est le poète Matsuo Bashô (1644-1694) qui a créé la structure de ce poème. Le premier et le troisième vers du haïku classique comptent cinq syllabes et le deuxième vers en compte sept.

du matin au soir
chercher quelque chose à faire
la pluie n'a cessé

Source : André DUHAIME, *Automne ! Automne !*, St. Boniface, Éditions des Plaines, 2002.

après avoir fait
un beau grand tas de feuilles
hop ! sauter dedans

Source : André DUHAIME, *Automne ! Automne !*, St. Boniface, Éditions des Plaines, 2002.

nature avec très peu de mots

OBSERVE LE TEXTE.
Pourquoi est-ce important de bien choisir les mots dans un haïku ?

un cerf-volant monte
devient bientôt tout petit
dans le grand ciel bleu

Source : André DUHAIME, *Le Soleil curieux du printemps*,
St. Boniface, Éditions des Plaines, 2003.

le rouge des fraises
tache les doigts et la bouche
des jeunes cueilleurs

Source : André DUHAIME, *Châteaux d'été*,
St. Boniface, Éditions des Plaines, 2003.

VA PLUS LOIN.

1. Discute avec un ou une camarade des haïkus présentés.
   Lequel préférez-vous ? Échangez vos idées avec celles d'une autre équipe.

2. En équipe, écrivez deux ou trois haïkus. Illustrez-les et organisez
   une exposition de vos haïkus avec vos camarades de classe.

167

À l'œuvre !

Un journal scolaire est un excellent moyen de faire connaître ta classe à l'ensemble de l'école. Participer à la création d'un journal est aussi un excellent moyen de s'exprimer. Un journal peut contenir des reportages, des textes d'opinion, des critiques ou d'autres textes.

Avec un ou une camarade, écris un article pour un journal scolaire sur un divertissement de ton choix. En groupe-classe, préparez et publiez votre journal.

Planifiez votre recherche.

Choisissez un sujet sur lequel vous aimeriez écrire un texte d'opinion, une critique, un éditorial ou un reportage. En effectuant votre recherche, pensez aux éléments suivants :

- Quel sujet pourrait capter l'attention des lecteurs et lectrices ?

- Quel type de texte allez-vous choisir pour présenter votre sujet ?

- De quels renseignements aurez-vous besoin pour rédiger votre texte ?

- Où pourriez-vous trouver ces renseignements ?

- Accompagnerez-vous votre texte d'éléments visuels ? Si oui, lesquels ?

Quelques CONSEILS

- Feuilletez des journaux et regardez les divers types d'articles.

- Observez la structure des différents articles dans un journal.

Préparez votre article.

- Rédigez votre article. N'oubliez pas de tenir compte de votre public cible.

- Choisissez des illustrations ou des photos pour accompagner votre texte, s'il y a lieu. Privilégiez les illustrations et les photos originales et n'oubliez pas de citer la source.
- Révisez votre texte et apportez les corrections nécessaires.

Préparez et assemblez votre journal scolaire.

En groupe-classe, élaborez la maquette de votre journal. Assurez-vous qu'elle soit dynamique.

- Déterminez la charte graphique (polices et tailles pour les titres, les textes et les légendes, nombre de colonnes, etc.).
- Décidez de l'ordre des pages de votre journal. Regroupez les articles traitant d'un même thème. Alternez les articles sérieux avec ceux plus légers.
- Révisez votre travail et apportez les corrections nécessaires.
- Au besoin, trouvez des commanditaires pour aider au financement de l'impression de votre journal.
- Imprimez et assemblez votre journal.

Présentez votre journal.

- Distribuez votre journal dans l'école.
- Invitez les lecteurs et lectrices à vous fournir une rétroaction.

Faites un retour sur votre travail.

- Avez-vous bien réparti le travail ?
- Avez-vous reçu une rétroaction positive de la part de vos lecteurs et lectrices ? Comment le savez-vous ?
- Que pourriez-vous améliorer la prochaine fois ?

169

Apprends un pas de danse !

Quel pas de danse pourrais-tu enseigner à ta classe ?

par Mandy Ng

ÉTAPE 1

Saute sur ton pied gauche pendant que tu **LANCES** ton pied droit vers l'avant. En même temps, lève tes bras devant toi.

ÉTAPE 2

PASSE ton pied droit au-dessus de ton pied gauche et croise tes bras devant ta poitrine.

ÉTAPE 3

DÉPLACE ton pied gauche sur le côté pendant que tu ramènes les bras le long du corps dans une forme de A.

170

Apprends les pas de base!

Voici un mouvement de hip hop qui donnera de la vie à une fête! Tu auras besoin de:

- vêtements confortables;
- chaussures bien lacées;
- musique hip hop.

OBSERVE LE TEXTE.
Quelles sont les caractéristiques d'une marche à suivre?

ÉTAPE 4

Saute sur ton pied droit pendant que tu **LANCES** ton pied gauche vers l'avant. Lève tes bras devant toi.

ÉTAPE 5

PASSE ton pied gauche au-dessus de ton pied droit et croise tes bras.

ÉTAPE 6

DÉPLACE ton pied droit sur le côté pendant que tu ramènes les bras le long du corps. Garde le rythme et reprends depuis l'étape 1.

Source: Traduction libre. Mandy NG, «Bust a Move», *Owl Magazine*, janvier-février 2007. Reproduit avec l'autorisation de Bayard Presse Canada Inc.

VA PLUS LOIN.

1. Répète le mouvement avec un ou une camarade, si possible avec de la musique. Lisez les étapes et faites-vous des commentaires à tour de rôle.

2. En équipe, inventez un nouveau pas de danse et notez les étapes pour l'exécuter. Échangez votre marche à suivre avec une autre équipe et essayez les pas de danse inventés.

171

L'ART DE

LA CRITIQUE

MYSTÈRE...

Je me demande où les artistes puisent leur inspiration...

173

Source : Annie GROOVIE, *Délirons avec Léon*, Montréal, Les éditions de la courte échelle inc., 2009, p. 39, 43-45.

VA PLUS LOIN.

1. Laquelle des bandes dessinées as-tu préférée ? Discute de ton choix avec un ou une camarade.

2. En équipe, parcourez des journaux et des revues pour trouver d'autres bandes dessinées traitant de l'art. Faites une murale avec les bandes dessinées trouvées.

175

La classe de neige

par Alain M. Bergeron

En quoi la pratique d'un sport peut-elle être un divertissement ?

Dominic est très enrhumé. Malgré tout, il participe avec les autres élèves à une classe de neige organisée par son enseignante, Geneviève. C'est la première fois que Dominic fait du ski.

« LA » montagne !

Sortir du chalet représente une véritable épreuve. Personne n'a osé nous prévenir que de marcher avec des bottes de ski n'a rien d'une simple balade ! La leçon de ski aurait dû commencer dès nos premiers pas.

Obligés de se dandiner le popotin pour avancer, nous avons l'air d'une bande de pingouins. Je balance les bras, de façon grotesque, pour parvenir à conserver un équilibre déjà précaire. En plus, il faut tenir nos bâtons et nos skis. Je n'ai pas encore effectué une seule descente et je suis déjà exténué.

Geneviève regroupe sa classe. J'étudie la pente qui s'étend devant nous. De petits enfants en ski et sur des planches à neige glissent et semblent s'amuser. Curieusement, mes craintes s'estompent. Une partie de plaisir s'annonce, somme toute.

Je mentionne à Xavier que ça n'a pas l'air si terrible.

— Ce n'est même pas un mont… C'est un monticule !

Mon ami approuve d'un signe de tête.

— C'est la pente école, ça, les gars, précise Sophie Laroche.

Elle dirige notre regard beaucoup plus à droite, vers «LA» montagne…

J'en ai des sueurs froides. Je sens mes jambes se ramollir tandis que les claquements de dents de Xavier reprennent de plus belle.

Tel un formidable mur, la montagne, avec sa vingtaine de pistes, se dresse devant nous. Elle est tellement immense qu'elle occupe tout mon champ de vision. Son sommet chatouille même les nuages! Le mont Everest a sûrement l'air d'une colline à côté de ça.

Geneviève a eu besoin de tout son pouvoir de persuasion pour nous empêcher, Xavier et moi, de déguerpir et d'aller nous réfugier dans l'autobus pour la journée.

OBSERVE LE TEXTE.
Quelle est la structure d'un récit d'aventures?

Un télésiège sans télé…

Il est maintenant l'heure de passer aux choses sérieuses: monter jusqu'au sommet pour notre première descente. Une descente aux enfers!

Nous prenons le télésiège à quatre places. Anthony et Sophie encadrent deux skieurs qui font «clac-clac-clac-clac-clac» des dents et «snif-snif-snif-snif» du nez.

— Mais il manque une télé à ce siège! constate Anthony.

Je retiens mon souffle tandis que nous grimpons vers le sommet après avoir abaissé la barrière de sécurité.

— Ne regardez pas en bas et ça va bien se passer, nous recommande Sophie.

— Qu'est-ce qu'il y a, en bas, ciel? s'écrie Xavier. Hiiiiiiiiii!

Tout comme lui, je jette un coup d'œil malgré moi. Je n'aurais pas dû… Nous nous trouvons à au moins 10 m du sol.

— On est à 1 km dans les airs! s'exclame Xavier, qui exagère un peu, tout de même. Ça y est! C'est le grand plongeon. Mon heure est venue…

— Mais non, il est encore trop tôt! réplique Anthony, en consultant sa montre.

Moi, j'ai le vertige… et le nez qui coule. Pour porter mon attention sur autre chose que le vide, j'enlève une mitaine et je tire un mouchoir de la poche de mon manteau. Je me mouche.

— Poueeeettttt! Poueeeettttt!

177

— Une avalanche ! s'écrie Xavier.

De façon involontaire, il m'assène un coup de coude dans les côtes. Je perds ma mitaine. Je la vois rapetisser et rapetisser jusqu'à ne devenir qu'une petite tache bleue sur la neige, beaucoup, beaucoup plus bas.

— Tu aurais pu faire attention, Xavier Beaulieu ! lui dis-je, fâché.

— C'est de ta faute ! Ta trompette m'a effrayé ! riposte-t-il de sa voix aussi haut perchée que lui. Et puis, tu avais juste à les attacher ensemble par un cordon comme moi. Bon !

Sans même réfléchir, j'arrache la tuque de sa tête et la jette en bas.

— C'est malin, ça, monsieur Abel ! s'offusque Xavier. Les oreilles vont me geler et elles vont tomber ! Ce n'est pas drôle.

— Pas d'oreilles, c'est sûr qu'on entend pas à rire, rappelle Anthony. Et tu ne pourrais pas porter de lunettes !

— Excuse-moi, Xavier… J'ai perdu la tête…

— Mais non, corrige Anthony. Tu as perdu une mitaine et Xavier, sa tuque.

Soupirant, Sophie fouille dans son sac à dos et me tend une mitaine qu'elle avait en réserve…

Une belle mitaine rose ! Je la remercie avec un sourire forcé.

Sophie remet à Xavier un bandeau… rose pour protéger ses oreilles du froid. Et comme si ça ne suffisait pas, c'est à ce moment que le télésiège s'arrête dans les airs !

Entre ciel et terre

Depuis 20 minutes, nous sommes immobilisés, suspendus dans le vide, à mi-chemin du sommet. Pour corser la situation, le vent vient de se lever et cause un balancement inquiétant des télésièges. Suffisamment pour que naisse en moi une sensation désagréable.

— La prochaine chose qui va nous tomber dessus, c'est sûrement de la neige, observe Anthony sur un ton désinvolte.

— Ne dis pas ça ! tempête Xavier, nerveux. Tu appelles le malheur et…

Trop tard… Les premiers flocons se mettent de la partie.

Un doux ronron ébranle soudain notre télésiège quadruple et le paysage recommence à défiler sous nos yeux. Nous bougeons!

Cinq minutes plus tard, nous arrivons au sommet où nous attendent les autres élèves et Geneviève, notre enseignante. Avant d'attaquer les pistes, Geneviève nous invite à admirer le paysage féerique qui se déploie sous nos yeux. Je n'ai jamais rien vu de tel: les arbres sont recouverts de neige et de givre.

Une classe Desneiges

Geneviève réunit le groupe autour d'elle pour un bref cours de ski en compagnie du moniteur. Elle rappelle à Xavier qu'on ne se corde pas; il craint les crevasses et les avalanches, comme dans ce documentaire télévisé sur l'alpinisme.

— Quelle est la première chose qu'il faut savoir lorsqu'on suit des cours? interroge Geneviève.

— Connaître l'endroit des premiers soins? répond Anthony.

— Le nom de votre moniteur, rectifie notre enseignante. Je vous présente Martin Desneiges.

À la mention de son nom, toutes les têtes se tournent en direction d'Anthony.

— Oui, bon d'accord, dit-il en haussant les épaules. Mais je n'ai pas à la chercher loin, celle-là… Aujourd'hui, on a une classe Desneiges…

Nous pouffons de rire. Notre moniteur à barbe, qui a l'âge de notre enseignante, fait la mine de quelqu'un qui a entendu ce jeu de mots des milliers de fois.

— Plus sérieusement… commence-t-il…

Il nous explique alors l'importance de garder le contrôle de ses skis en tout temps. Ça semble simple, en effet, mais que fait-on quand nos pieds refusent de nous écouter?

— Le plus facile, pour débuter, c'est d'y aller en chasssssse-neige. On trace des «S», comme dans sssssslalom. Ce n'est pas sssssssorcier, vous allez voir. Suivez-moi jusqu'au plateau, un peu plus bas.

179

Pour ma part, je ne fais ni «S», ni «l», ni «T»… mais des «X». Car si je peux être plutôt adroit de mes mains, je suis bien gauche de mes pieds. Voilà pourquoi mes skis ne cessent de se croiser. Et je me retrouve les quatre fers en l'air!

Ouille! Mon derrière! Je pense que je viens de m'assommer une fesse.

Découragé, le moral dans les bottes de ski, je traîne loin derrière, à la queue; me voilà bien avancé.

Dans la Forêt enchantée

Haussant les épaules, j'amorce maintenant la deuxième partie du parcours. Lentement, mais sûrement sera ma devise. Même si je ne parviens en bas que dans deux semaines, au moins, je veux m'assurer d'avoir tous mes morceaux à la bonne place! De toute façon, avec mon passe-montagne qui remonte sur mon nez et mes lunettes de ski, personne ne me reconnaîtra! Mon orgueil devrait pouvoir s'en tirer à bon compte.

— Lâche pas, Dominic! m'encourage une fille au passage.

— À tout à l'heure, Dominic! crie un garçon en dévalant la pente.

— Encore Boum-Boum, Doum-Doum? s'informe Anthony après ma cinquième chute.

Martin Desneiges nous recommande de demeurer sur la piste familiale, qui est la plus facile. Certains de ses élèves se fondent dans la masse et prennent des chemins différents. Sophie veut nous entraîner dans la Forêt enchantée. Enfin un défi à la hauteur de mes capacités. Des dessins d'enfants sur les pancartes nous indiquent où aller. Nous nous y engageons…

Piégés! Horreur! Dans la Forêt enchantée… il y a des arbres et des branches! Et ça ne m'enchante guère!

Pour ajouter à la difficulté de l'aventure, les sentiers sont parsemés de vallons. Désireux de sauver ma peau, j'emprunte un raccourci qui me ramène sur la piste familiale. Sauvé! On ne m'y reprendra plus…

Épilogue

Voilà, mon récit est terminé. Pendant que ma sœur Isabelle avale la dernière gorgée du jus de raisin d'un patient, dans le lit voisin, papa affiche une mine perplexe.

— As-tu oublié un détail ? Ta cheville cassée ? Avez-vous fait d'autres descentes ?

— Oui, deux…

— Et ton accident de ski ? insiste maman.

L'air un peu gêné, je raconte à mes parents que je ne me trouve pas à l'hôpital à cause de ma classe de neige. Mon histoire est beaucoup moins glorieuse.

J'étais très content d'avoir fini la journée debout sur mes deux jambes. C'est à ce moment que j'ai un peu relâché mon attention…

— En descendant de l'autobus qui nous ramenait à l'école, j'ai… euh… j'ai déposé le pied sur une plaque de glace. J'ai glissé et voici le résultat !

Source : Alain M. BERGERON, *La classe de neige*, Saint-Lambert, Soulières Éditeur, 2006, p. 27-42, 47-48, 51-54, 58, 62-65, 67, 71-72.

VA PLUS LOIN. ●●●●●●●●●●●●●●●●●●●●●●●●●●●●●●●●●●●●●

1. Imagine que tu es Dominic. Écris une lettre pour convaincre tes parents de te laisser participer à une autre classe de neige. Lis ta lettre à un ou à une camarade de classe.

2. En équipe, préparez un jeu de rôle montrant Dominic de retour chez lui après sa visite à l'hôpital. Inventez la suite de l'histoire, rédigez les textes et assignez un rôle à chaque élève de votre équipe. Présentez votre jeu de rôle à la classe.

À ton tour !

C'est à ton tour de mettre en application ce que tu as appris pour préparer une critique que tu présenteras à la classe. Une critique est un texte dans lequel on donne son opinion. Tu peux faire la critique d'un film, d'un livre, d'une pièce de théâtre, d'un concert ou d'une émission de télévision.

Prépare ta critique.

- Détermine le sujet de ta critique.
- Recueille puis sélectionne l'information dont tu as besoin et choisis la façon dont tu la présenteras.
- Fais un plan de ta critique (introduction, développement, conclusion).
- Commence ton texte par une phrase qui saura capter l'attention de ton auditoire et qui exprime clairement ton opinion.
- Appuie ton opinion à l'aide de faits.
- Termine en portant un jugement global et en rappelant ton point de vue.
- Exerce-toi à présenter ta critique.

Présente ta critique.

- Présente ta critique à la classe.
- Demande une rétroaction à ton auditoire.

Gros plan sur tes **apprentissages**

Prépare-toi.

■ Rassemble tes notes et les travaux réalisés dans ce module.

Réfléchis et discute.

Travaille avec un ou une camarade.

■ Ensemble, lisez les objectifs d'apprentissage présentés à la page 140.

■ Évalue ton travail. As-tu atteint les objectifs ?

■ Trouve des exemples qui montrent que tu as atteint les objectifs.

Fais tes choix.

■ Choisis deux travaux qui montrent que tu as atteint les objectifs d'apprentissage. Un même travail peut montrer que tu as atteint plusieurs objectifs.

Justifie tes choix.

■ Décris ce que chaque travail montre au sujet de tes apprentissages.

Mes choix	J'ajoute ces travaux à mon portfolio parce que…

Réfléchis.

■ Qu'as-tu appris sur les textes d'opinion ?

■ Qu'as-tu appris sur les divertissements des jeunes ?

■ Quels textes ou quelles activités as-tu le plus aimés ? Lesquels t'ont le plus fait réfléchir ?

183

Quelque chose à raconter...

OBJECTIFS D'APPRENTISSAGE

Dans ce module, tu vas faire les tâches suivantes :

- écouter, lire et écrire des récits ;

- lire une variété de textes dont des pages d'un journal personnel, un récit d'aventures, une critique, une chanson, un récit fantastique, un récit d'intrigue policière et un récit de science-fiction ;

- écrire une page du journal personnel d'un personnage du récit de ton choix ;

- écrire et présenter un récit dans le cadre d'une soirée villageoise d'antan.

un auditoire
une chanson à répondre
un conte
un journal personnel
un récit
une soirée villageoise

185

Une histoire à

Quelle histoire pourrais-tu inventer à partir de ton vécu ?

Si on peut inventer une histoire à propos d'un tailleur qui confectionne des vêtements à partir de rien, je peux sûrement me bricoler une histoire à partir de mes idées et des souvenirs de mon enfance. Alors voici la mienne...

Depuis la nuit des temps, le conte voyage d'un pays à l'autre et s'adapte aux gens qui l'accueillent. Très jeune, j'écoutais les histoires que mon père nous contait. Je m'en souviens encore et, aujourd'hui, je les conte à ma manière, à mes enfants, à mes amis, à qui veut m'écouter. Ces histoires sont le spectacle de ma vie et le récit de mes rides, de mes larmes et de mes sourires. Je m'appelle Angèle et, comme mon père, j'adore conter des histoires.

On dit que je suis une bonne conteuse. Cependant, je me demande si les personnes qui l'affirment ne souhaitent pas simplement me faire plaisir. Je me demande aussi parfois si elles m'écoutent vraiment quand je leur raconte mes histoires.

J'ai 73 ans, mais je me souviens de mon enfance comme si c'était hier. À cette époque, il y avait beaucoup d'enfants. C'était le temps des familles nombreuses. Nous étions 20 enfants à la maison. La télévision n'existait pas encore à cette époque et ma mère nous envoyait jouer dehors pour nous divertir. Les champs et la forêt nous appartenaient. Nous n'avions peur de rien. L'argent manquait parfois, mais les idées abondaient. Les vieux manches à balais se transformaient vite en épées ou en baguettes de tambours. Le grenier de la vieille grange abandonnée était notre jardin secret. C'était merveilleux et magique !

À l'automne, lorsque les récoltes étaient terminées et que commençait à souffler le vent du nord, le temps des veillées était arrivé. La parenté et les invités se réunissaient chez nous, dans notre grande maison, pour une soirée de chansons et d'histoires.

raconter

par Léo-James Lévesque

La plupart du temps, ces soirées villageoises avaient lieu dans la cuisine, puisque c'était la plus grande pièce de la maison et aussi la plus chaude.

Au cours de ces veillées, la musique occupait une place importante. Mon père jouait de l'harmonica et du violon. Les invités aimaient beaucoup chanter. Tout le monde participait à ce qu'on appelle des *chansons à répondre*. Une personne chantait une partie de la chanson, puis les autres la reprenaient, comme un écho. Parfois, tout le monde tapait du pied pour créer un rythme de danse!

Après la musique et la danse, c'était le tour du conteur d'histoires. Mon père était un conteur talentueux. Son répertoire était varié et original. Il contait des histoires venues d'ailleurs, de France et d'Irlande. Il contait aussi des histoires et des légendes de notre pays. C'était un vrai troubadour des temps modernes. Pour rendre ses histoires plus captivantes, il changeait le ton de sa voix et faisait des gestes. Il savait tenir son auditoire en haleine. On était suspendu à ses lèvres! Mon père pouvait faire durer une histoire pendant une demi-heure, parfois même une heure. Au cours de la veillée, il fouillait dans sa mémoire pour en ressortir des trésors cachés. Avec son charisme, sa voix, ses mots, ses gestes et son regard, il relatait des aventures inoubliables. L'imaginaire était son univers! Ses histoires nous faisaient rêver!

Mon père avait travaillé dans les chantiers forestiers. Il avait appris ses histoires d'autres bûcherons lors des soirées après leurs dures journées de travail. Au fil des ans, les histoires entendues se sont transformées et se sont teintées d'imaginaire.

Les histoires sont des trésors à partager. Elles donnent l'espoir d'un avenir meilleur et elles colorent notre quotidien. Depuis les contes des *Mille et une nuits*, on les transmet de génération en génération. Comme le disait si bien mon père: «On n'invente jamais les histoires, on s'en souvient, c'est tout.»

Source: Inspiré d'un chapitre de la vie de l'auteur.

188

PARLONS-EN !

- Avec un ou une camarade, discute des qualités requises pour être un bon conteur ou une bonne conteuse d'histoires. Pourquoi est-ce important de connaître les histoires des générations du passé ?

- Si tu étais un livre, quel livre serais-tu ? Pourquoi ? En équipe, effectuez un sondage auprès d'au moins 20 élèves de votre école afin de déterminer leur préférence en lecture. Présentez vos résultats à la classe à l'aide d'un diagramme.

Lire un récit

Un récit est une communication orale ou écrite. Il peut être réel ou fictif. Un journal personnel est une forme de récit. Le récit comprend une situation de départ, un élément déclencheur, des péripéties, un dénouement et une situation finale. Il peut aussi comporter des dialogues.

Exprime-toi!

Travaille avec un ou une camarade. Discutez d'un récit que vous avez lu ou entendu.

- Quelle est la situation de départ? Qui sont les personnages et quelles sont leurs caractéristiques? Où et quand se déroule l'histoire?

- Quel événement a changé la situation de départ?

- Quels principaux changements sont survenus à la suite de cet événement?

- Comment l'histoire s'est-elle terminée?

- Où peux-tu trouver des récits?

Voici quelques indices.

Ensemble, dressez une liste de récits que vous connaissez. Notez le titre des récits et, dans chaque cas, faites une courte description du personnage principal.

Titre	Caractéristiques du personnage principal
Anne... La maison aux pignons verts	Anne est une orpheline qui trouve l'amour et la compréhension à Avonlea, un petit village de l'Île-du-Prince-Édouard. Elle a les cheveux roux et des taches de rousseur.

Lis avec habileté

Précise ton intention.

■ Pourquoi lis-tu des récits ?

« Les histoires sont des trésors à partager. »

Décode le texte.

■ Dans un récit, les comparaisons, les métaphores et les expressions figurées sont souvent utilisées pour amener les lecteurs et lectrices à visualiser l'histoire. Lis attentivement l'exemple. Quelles images te viennent en tête ?

Construis le sens du texte.

Applique les stratégies suivantes lorsque tu lis des récits.

FAIS DES PRÉDICTIONS.   Quel sera le sujet de ce récit ? Qu'arrivera-t-il dans l'histoire ? Quels indices t'aident à faire ces prédictions ?

FAIS DES INFÉRENCES.   Quelles déductions peux-tu faire sur le personnage principal de ce texte ?

FAIS DES LIENS.   En quoi tes expériences sont-elles semblables à celles du personnage principal de cette histoire ? En quoi sont-elles différentes ?

Analyse le texte.

■ Que fait-on pour rendre les personnages vraisemblables dans un récit ?

■ Comment peut-on capter l'attention des lecteurs et lectrices dans un récit ?

191

Le journal de Mikhailo

Le 15 août 1896

Cher journal,

Je m'appelle Mikhailo Novalkovski. J'habite à Yorkton, en Saskatchewan, mais je suis né dans un pays situé très loin du Canada. En lisant mon nom, vous avez peut-être deviné que je suis Ukrainien.

Il y a presque un mois, ma famille et moi habitions encore en Ukraine. Mon père est agriculteur et ma mère est ménagère. Elle reste à la maison pour s'occuper de moi et de ma petite sœur, Antonina. Mes grands-parents sont décédés peu après ma naissance. Alors, je ne les connais qu'à partir des histoires que mes parents nous ont racontées.

En rentrant à la maison, mon père a crié: «Tu te rends compte: 10 $ pour 160 acres de terre! Nous allons posséder notre lopin de terre et nous pourrons y vivre heureux. Nous allons enfin partir pour le Canada rejoindre mon frère Andriy.»

En entendant ces mots, je savais que notre vie allait changer. J'ai regardé ma mère avec inquiétude. Ses beaux yeux noisette et réconfortants brillaient comme des étoiles dans la nuit. Son regard était rassurant et me disait que tout allait bien se passer.

Après un long trajet sur un gros bateau, nous sommes enfin arrivés au port de Montréal, au Québec. Mon père était très heureux de revoir son frère, Andriy, qui était là pour nous accueillir. Après trois bisous sur les joues, comme le veut la tradition ukrainienne, nous étions déjà en route pour la Saskatchewan. Mon père et Andriy

FAIS DES PRÉDICTIONS.

Quel sera le sujet de ce journal personnel? Qu'arrivera-t-il? Quels indices t'aident à faire ces prédictions?

192

FAIS DES INFÉRENCES.

Quelles déductions peux-tu faire sur le personnage principal de ce récit ?

parlaient de la belle terre fertile des Prairies et de la vie qui nous y attendait. Ma mère, de son côté, nous chantait de jolies chansons traditionnelles pour nous divertir. La route a été assez longue, mais je me sentais bien car j'étais avec ma famille.

Ma famille et moi sommes arrivés à Yorkton le 12 août 1896. Yorkton est un village situé dans le sud-est de la Saskatchewan, tout près du Manitoba.

«Ce petit village va bientôt devenir une grande ville !» s'est exclamé Andriy.

Avec l'arrivée de tous les nouveaux immigrants ukrainiens depuis quelques années, je crois qu'il a probablement raison. Cependant, l'important pour mon père est d'être heureux dans notre petite maison sur les 160 acres de terre qu'il vient d'acheter.

FAIS DES LIENS.

En quoi tes expériences sont-elles semblables à celles de Mikhailo ? En quoi sont-elles différentes ?

193

Le journal de Nadža

Le 28 mai 1992

Cher journal,

Je m'appelle Nadža Filipović. Je suis née en juin 1978 à Sarajevo, la capitale de la Bosnie-Herzégovine. J'aurai bientôt 14 ans. Je suis une enfant de la guerre. J'écris dans ce journal en espérant un jour me sortir du cauchemar dans lequel je me trouve présentement.

Depuis avril 1992, la guerre entre les Serbes, les Croates et les musulmans ne cesse de s'aggraver. Je suis désespérée. La guerre a rendu la vie intolérable dans mon pays. La musique a été remplacée par les explosions, les détonations, les hurlements, les pleurs et le désespoir! Les gens se regroupent par famille et par quartier pour survivre au milieu du chaos, au milieu de cette jungle urbaine qu'est devenue ma ville natale.

Hier, des obus sont tombés sur le marché de Sarajevo. À la télévision, j'ai vu des gens blessés qu'on transportait à l'hôpital. Je n'arrive pas à croire ce que mes yeux voient. Tous ces gens, tous ces enfants sont malheureusement victimes d'une guerre dégoûtante! J'en ai assez d'avoir peur!

De plus en plus de gens quittent Sarajevo. L'aéroport et la gare sont bondés de monde. La guerre détruit, tue, incendie, sépare et apporte le malheur. À la maison, la ligne téléphonique est toujours occupée. Maman téléphone beaucoup. Elle s'inquiète. Elle parle à tante Mirna. Papa tente de la rassurer, mais en vain. Depuis quelques semaines, nous nous préparons à quitter le pays. Nous allons au

FAIS DES PRÉDICTIONS.

Quel sera le sujet de ce journal personnel? Qu'arrivera-t-il? Quels indices t'aident à faire ces prédictions?

194

FAIS DES INFÉRENCES.

Quelles déductions peux-tu faire sur le personnage principal de ce récit?

Canada. Demain, c'est le jour du départ. Est-ce que je pourrai bientôt redevenir heureuse? On dit que l'enfance est censée être la plus belle période de la vie. Moi, j'ai plutôt l'impression que cette sale et répugnante guerre m'a tout volé.

Ce soir, le soleil se couchera sur Sarajevo comme sur toutes les autres villes du monde. Demain, il se lèvera sur cette ville qui se dégrade sans cesse, mais où la vie continue, comme ailleurs, avec ses amours, ses rêves et, surtout, ses désillusions. Demain moi, quand le soleil se lèvera, je partirai avec ma famille pour le Canada.

FAIS DES LIENS.

En quoi tes expériences sont-elles semblables à celles de Nadža? En quoi sont-elles différentes?

195

Le journal de
Catherine

Le 17 mai 1847

Cher journal,

FAIS DES PRÉDICTIONS.

Quel sera le sujet de ce journal personnel ? Qu'arrivera-t-il ? Quels indices t'aident à faire ces prédictions ?

Je m'appelle Catherine Johnson. J'ai 13 ans. Je viens de Roscrea, en Irlande. Je suis catholique et Irlandaise. Ces mots, je les écris dans mon journal chaque jour. C'est ma façon de m'assurer que je suis toujours vivante et que je n'ai pas oublié mon héritage irlandais. C'est une promesse que j'ai faite à ma mère avant sa mort.

Depuis plus d'un an, une mystérieuse maladie attaque les pommes de terre dans mon pays. La moitié de l'Irlande est affamée, malade et sans abri. C'est la Grande Famine. J'ai vu mourir ma famille. Aujourd'hui, je dois quitter mon pays. Ce matin, je suis arrivée à Dublin. C'était la première fois de ma vie que je voyais la mer. Dans le ciel, les oiseaux chantaient et volaient. Je rêvais d'être un jour libre comme eux. On aurait dit qu'ils annonçaient l'arrivée de tous ces gens venus des quatre coins de l'Irlande.

Près du quai, j'ai rencontré une famille qui venait d'acheter un passage pour New York, aux États-Unis. Leur nom est Kennedy. Des cultivateurs de pommes de terre, comme ma propre famille. Liam, un des fils, m'a informée que le prix du passage aux États-Unis était de 3 livres 50 environ et que celui pour le Canada était d'un peu plus de 2 livres.

«Mais, si la traversée pour le Canada coûte moins cher, pourquoi allez-vous aux États-Unis ?» ai-je demandé.

FAIS DES INFÉRENCES.

Quelles déductions peux-tu faire sur le personnage principal de ce récit?

Liam m'a expliqué. Il avait entendu dire que beaucoup de gens au Canada parlent le français et non pas l'anglais.

Jamais je n'avais envisagé d'avoir à choisir entre deux pays. Mes parents m'avaient parlé du Canada, mais je ne connaissais pas le français. Malgré tout, j'étais décidée à poursuivre ma route. J'ai alors soigneusement compté l'argent que j'avais précieusement gardé au fond de ma poche de manteau. Je me suis approchée d'un agent qui vendait des passages pour le Canada et les États-Unis, et j'ai acheté mon billet pour le Canada.

Depuis plus d'une heure, je suis assise en silence. Le ciel est bleu comme la mer. Je me demande si je serai heureuse au Canada, dans ma nouvelle famille qui m'a adoptée. Je me demande si un jour je pourrai parler le français. Je pense à mon père qui avait tant rêvé de cette terre immense qui offre une chance à tous. J'espère des jours meilleurs malgré l'inquiétude d'avoir à vivre sans ma famille.

FAIS DES LIENS.

En quoi tes expériences sont-elles semblables à celles de Catherine? En quoi sont-elles différentes?

197

Fais un retour sur tes apprentissages

Tu as...

- parlé de l'origine des histoires;
- lu des pages d'un journal personnel;
- appris des mots nouveaux et des expressions en lien avec des récits d'immigrants.

un immigrant, une immigrante

un héritage

le désespoir   accueillir

acheter un passage

la vie intolérable

Tu as aussi...

- utilisé différentes stratégies de lecture.

> J'aime lire des récits personnels, mais j'aime aussi les récits fantastiques et les récits d'aventures. Et toi ?

FAIS DES PRÉDICTIONS.
FAIS DES INFÉRENCES.
FAIS DES LIENS.

Réfléchis à ta démarche de lecture

Que peux-tu faire pour démontrer ton appréciation d'un texte lu ? Quelles stratégies pourrais-tu utiliser pour comprendre le sens d'une métaphore ou d'une comparaison ?

Écris avec habileté

Dans la section « Une page du passé »,
tu as lu des extraits de récits personnels.
Analyse ces textes afin de dégager
la structure d'un journal personnel.

Exprime-toi !

- Qu'as-tu remarqué sur la façon d'écrire un journal personnel ?

- Qu'est-ce qui distingue un journal personnel d'un journal de bord ?

- Quelles figures de style pourrais-tu utiliser dans un texte qui relate une histoire vécue ?

- Quelles sont les caractéristiques d'un journal personnel ? Dresses-en une liste.

La structure d'un journal personnel :

- la date à laquelle on écrit son journal

- une introduction qui présente l'événement vécu

- un texte écrit au « je » ou au « nous »

- une description des sentiments éprouvés

- des événements présentés dans un ordre chronologique

- une conclusion qui raconte comment la situation se termine

199

Un sauvetage flamboyant

par Donna Gamache

Comment un chat peut-il devenir un héros ?

Une nuit de septembre, trois jours après la fin des récoltes, j'ai été réveillé soudainement par un puissant miaulement à ma fenêtre. Un peu surpris, j'ai vite allumé ma lampe pour regarder l'heure. Il était minuit !

« Qu'est-ce qui se passe ? » ai-je marmonné, en me rendant à la fenêtre. Ma chatte Sardine miaulait toujours.

«Silence, Sardine, tu vas réveiller papa.» Mon père n'aimait pas tellement les chats. Il n'avait pas d'objection à ce qu'ils restent dans la grange, mais il n'en voulait pas dans la maison. Il ne se doutait pas que je cachais parfois Sardine sous ma veste pour l'amener dans ma chambre. De plus, il ne savait pas qu'elle grimpait souvent dans l'arbre qui se trouve sous ma fenêtre pour sauter sur le toit de la véranda et s'introduire dans ma chambre.

J'ai ouvert la fenêtre un peu plus et j'ai reculé de quelques pas. «Viens, Sardine, mais reste tranquille.»

Ma chatte n'a pas bougé et elle a continué de miauler.

«Allez, viens! ai-je murmuré avec impatience. Ou retourne dans la grange si tu as froid.»

J'ai essayé de l'attraper, mais elle s'est éloignée. J'ai ouvert la fenêtre au complet et je me suis penché, mais elle s'est déplacée jusqu'au bord du toit en continuant de miauler – très fort.

Soudain, j'ai vu une lumière provenant de la grange. Une lueur vacillait dans la cour, et cela ne pouvait être qu'une seule chose: le feu!

Aussitôt, j'ai couru à la chambre de mes parents. Quand j'ai ouvert la porte, j'ai vu par la fenêtre que la grange était en flammes.

Papa a sauté en bas du lit et a enfilé sa salopette par-dessus son pyjama. «Va t'habiller, Sam», m'a-t-il ordonné.

J'ai passé à la hâte mes vêtements de travail et je me suis rendu dans la cuisine. Ma mère téléphonait aux pompiers. J'ai couru vers la grange avec deux seaux vides.

Je voyais la silhouette de papa contre la grange, un seau d'eau dans chaque main. Il avait réussi à ouvrir la porte, mais un simple coup d'œil m'a suffi pour voir qu'on ne pouvait plus sauver le tracteur. Un mur de flammes bloquait l'entrée de la grange. Papa y a jeté de l'eau, mais c'était peine perdue.

«Le foin!» ai-je hurlé, en montrant du doigt les meules, juste derrière la grange. Des étincelles tombaient au pied de la première meule de foin et le feu commençait à se répandre.

«Allons chercher de l'eau!» m'a dit papa. La rivière se trouvait à 90 mètres.

201

Le temps que je revienne, ma mère avait sorti de vieilles couvertures de la maison. Elle a saisi un de mes seaux, a imbibé d'eau une couverture et s'en est servi pour éteindre les étincelles.

Papa est revenu avec deux autres seaux pleins d'eau. «Sam, a-t-il crié, monte sur le tas de foin!» Il m'a passé une autre couverture imbibée d'eau en me disant d'éteindre les étincelles.

J'ai grimpé sur le tas de foin et je me suis mis à éteindre les flammèches en me servant de la couverture et de mes pieds. Je pouvais sentir la chaleur à travers mes bottes.

C'est alors que, dans un grondement soudain, le toit de la grange s'est effondré. Des bardeaux enflammés ont commencé à voler dans tous les sens, et maman a eu peur lorsqu'un des bardeaux a atterri à ses pieds. «Éteins-le!» ai-je crié tout en essayant d'éviter les autres bardeaux qui passaient à côté de moi comme des étoiles filantes. Au moins une douzaine de bardeaux sont tombés sur le foin.

J'ai donné un coup de pied sur deux d'entre eux, mais ils sont allés atterrir un peu plus loin sur la meule. Sans réfléchir, j'en ai saisi un troisième et je l'ai lancé à maman pour qu'elle puisse l'éteindre.

Du coin de l'œil, j'ai aperçu des lumières au loin sur la route. Je me doutais qu'il s'agissait des Vigneault ou des Grondin, nos plus proches voisins. C'était impossible que ce soit déjà les pompiers.

Le camion des Vigneault s'est arrêté à côté de la grange. L'instant d'après, Pierre Vigneault avait grimpé sur la deuxième meule de foin et son frère Joseph poussait les tas fumants sur le côté à l'aide d'une fourche.

«Va chercher de l'eau!» a crié Joseph, et mon père a couru à la rivière juste au moment où deux autres véhicules arrivaient. Trois personnes en sont sorties avec des seaux vides dans les mains, et elles ont suivi mon père jusqu'à la rivière.

Papa a couru jusqu'à Pierre pour lui passer ses seaux d'eau, pendant qu'une autre personne me passait aussi de l'eau, que j'ai versée sur le foin enflammé. Nous allions peut-être gagner la bataille après tout !

Soudainement, la cour était remplie de camions, de voitures et de gens. Une brigade de seaux s'était formée entre la rivière et les meules de foin et, rapidement, les deux meules étaient sous contrôle. Il ne restait plus que le tas embrasé que les hommes avaient repoussé avec leurs fourches.

Je me suis laissé glisser en bas du tas de foin et j'ai rejoint papa. Il se tenait devant la grange en feu, l'air abattu. Je savais à quoi il pensait : il se demandait où il trouverait l'argent pour acheter un nouveau tracteur.

À ce moment-là, les pompiers sont arrivés. Deux hommes en jaune ont commencé à arroser la grange. Quand la citerne du camion a été vide, quelqu'un a conduit le camion à la rivière pour la remplir de nouveau.

« Va voir si ta mère a besoin d'aide dans la maison, m'a recommandé mon père. Dis-lui que tout ira mieux bientôt. »

Ma veste était un désastre. Elle était détrempée et noire de suie. Et il y avait deux petits trous dans la jambe de ma salopette. Quand j'ai regardé mes mains, j'ai regretté ce que j'avais fait. J'avais été trop occupé pour le sentir, mais de grosses ampoules s'étaient formées là où j'avais saisi les bardeaux enflammés, et plusieurs de mes doigts étaient enflés. Mes mains commençaient à faire vraiment mal maintenant que j'avais le temps d'y penser.

Quand ma mère a vu mes mains, elle a eu le souffle coupé. L'instant d'après, j'étais assis et mes mains trempaient dans un bassin d'eau froide. « Tu aurais dû mettre des gants », a-t-elle marmonné, pendant qu'elle nettoyait la suie avec un linge. « Et regarde ton visage. »

« Tout ira mieux bientôt », lui ai-je dit.

Plus tard, tout le monde a jeté un coup d'œil à mes brûlures. Maman les a enduites d'onguent et m'a bandé les mains.

«Comment as-tu vu qu'il y avait le feu, Sam? a demandé mon père. Comment se fait-il que tu étais réveillé? Sans toi, nous aurions tout perdu.»

«C'est Sardine, ai-je répondu. Elle a grimpé sur le toit de la véranda et a miaulé à ma fenêtre. Quand j'ai ouvert, elle a continué de miauler jusqu'à ce que je sorte sur le toit pour l'attraper. C'est alors que j'ai vu une lueur qui vacillait. Et je suis allé vous réveiller.»

Peu après, les voisins sont repartis chez eux. Avant de s'en aller, les pompiers ont inspecté les lieux une dernière fois. Mon père a fait le tour de la ferme lui aussi. Maman m'a envoyé me coucher.

Il faisait froid dans ma chambre, car j'avais laissé la fenêtre ouverte. Et une autre surprise m'attendait: Sardine était allongée au pied de mon lit. Elle est venue se coucher contre mon épaule, en ronronnant très fort.

Mes mains me faisaient mal et j'avais de la difficulté à m'endormir. J'ai entendu partir les derniers voisins. Puis, j'ai dû m'assoupir, car je n'ai pas entendu mon père ouvrir ma porte. Mais j'étais suffisamment éveillé pour le voir à côté de mon lit. Et dans la faible lumière provenant du corridor, je l'ai vu tendre la main pour caresser Sardine plusieurs fois. Son ronronnement est devenu encore plus fort.

Source : Traduction libre. Donna GAMACHE, «A Blazing Rescue», extrait de «The Cat's Meow», *Cricket Magazine*. Reproduit avec l'autorisation de l'auteure.

MÉDIA ACTION

Cherche dans des livres, des journaux, des magazines ou dans Internet d'autres histoires de sauvetage. Qu'est-ce qui retient le plus l'attention des lecteurs et lectrices dans ces récits?

VA PLUS LOIN.

1. Que peux-tu inférer à propos de la personnalité du narrateur d'après ce qu'il dit et fait dans cette histoire? Discute de tes idées avec un ou une camarade.

2. On t'a demandé de réécrire cette histoire pour en faire une émission de télévision. En équipe, dressez une liste des éléments qui seraient changés et de ceux qui resteraient pareils.

La critique d'un récit fantastique

par Élisabeth Côté

Comment la jaquette d'un livre peut-elle attirer ton attention ?

Prends le temps d'observer les parties d'un livre.

La couverture

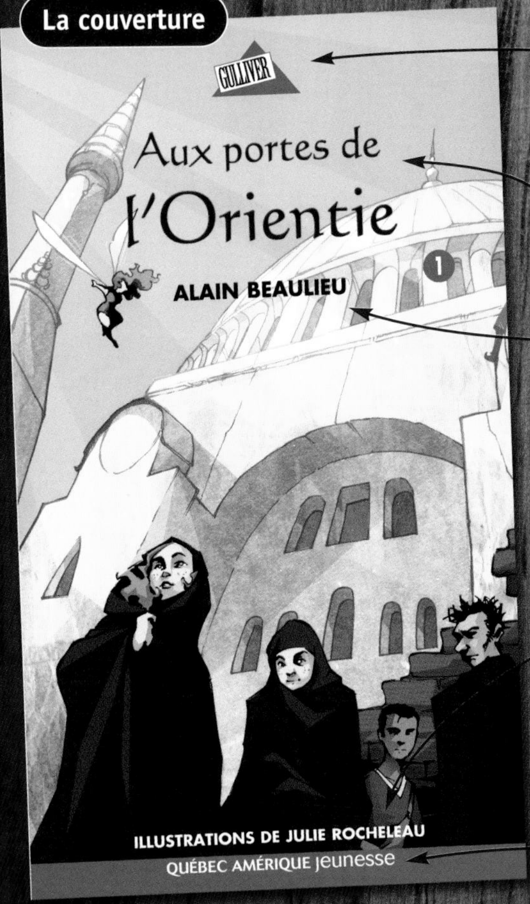

La collection

Le titre

L'auteur

La quatrième de couverture

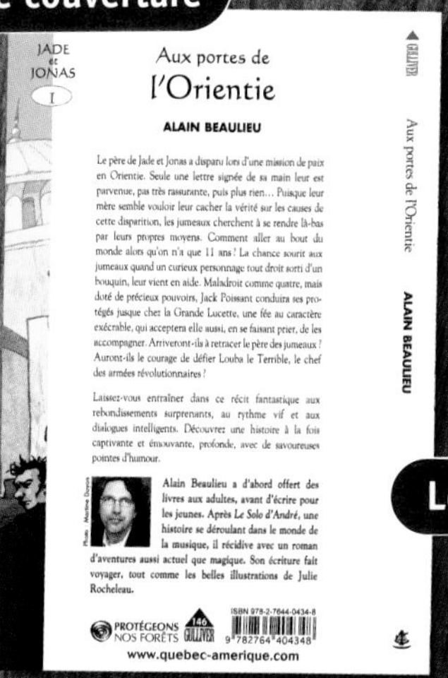

Le dos

L'illustrateur

L'éditeur

Les pages de garde

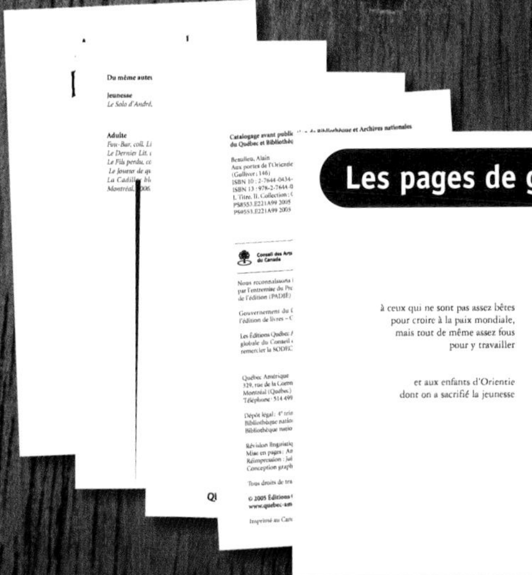

Le savais-tu ?

En Chine, on compare le livre au corps humain. Voici la traduction du vocabulaire *chinois* du livre :

Tête = couverture

Bouche = pages

Pied = quatrième de couverture

205

OBSERVE LE TEXTE.
Quels procédés d'écriture l'auteure
utilise-t-elle pour présenter
sa critique ?

**Alain Beaulieu, *Aux portes de l'Orientie*,
Québec Amérique Jeunesse, 2005.**

Aux portes de l'Orientie est le premier livre d'une série
de récits fantastiques qui mettent en vedette les jumeaux
Jade et Jonas. Dans cette histoire, les jumeaux cherchent
à retrouver leur père qui est disparu au cours d'une mission
de paix en Orientie, un pays imaginaire mais vraisemblable.
Les jumeaux font la rencontre de Jack Poissant,
un hurluberlu tout droit sorti d'un conte. Puis, ils sont
entraînés dans une quête époustouflante à la frontière
du réel et du rêve. Leur quête est remplie d'embûches
abracadabrantes et de rencontres étonnantes, notamment
la grincheuse mais indispensable fée Grande Lucette,
le valeureux Brama et le terrible Louba.

L'histoire nous tient en haleine grâce à l'écriture
rythmée et aux personnages drôles et attachants, qui ne
reculent devant aucun obstacle. L'auteur, qui a beaucoup
d'humour, utilise des expressions très amusantes et
imagées, par exemple quand Jack bave en imitant un simple
d'esprit : *Il dégouline comme un chameau malade… !*
À côté de scènes comiques, l'auteur ne manque pas de

décrire avec intensité la réalité des pays en guerre et ce qu'elle signifie pour les populations qui la subissent. Par exemple : *Une odeur pestilentielle leur agresse les narines, un mélange de soufre et de moisissure, comme si cette terre avait été brûlée. Autour d'eux, il n'y a que du ciment émietté, du verre cassé, des portes et des fenêtres éventrées.* On peut dire sans se tromper que, même si l'histoire regorge d'éléments magiques, les lecteurs et lectrices ont bien envie d'y croire malgré tout.

Si vous aimez les récits d'aventures, la magie et les pays inconnus, vous adorerez *Aux portes de l'Orientie*. Ce récit fantastique saura plaire à ceux et celles qui n'ont pas froid aux yeux et qui veulent vivre, au fil de leur lecture, toute une gamme d'émotions. Il vous donnera certainement envie de lire d'autres aventures de Jade et Jonas.

VA PLUS LOIN.

1. Avec un ou une camarade, prépare une fiche sur laquelle vous indiquerez les références bibliographiques, un court résumé et une appréciation personnelle d'un récit que vous avez lu. Présentez votre fiche à la classe.

2. En équipe, parcourez des catalogues de romans jeunesse. Dressez une liste de suggestions de romans qui pourraient être achetés pour votre bibliothèque scolaire. Justifiez vos choix.

207

Parle-n

chanté par

Quel genre
de musique
préfères-tu ?

de nous

OBSERVE LE TEXTE.
Quels mots décrivent des émotions ?

Chaque jour où que tu sois
Il tombe des poussières de toi
Qui me disent des secrets
Que tu n'arrives pas
À regarder de plus près
Mais je veux que le vent
Nous sème du temps, comme avant

Parle-moi
Parle-moi de nous
Souviens-toi, souviens-toi de tout
Parle-moi
Parle-moi de nous
Si tu veux encore de nous

À travers tous ces mirages
Qui sont écrits sur nos pages
J'ai cherché tes réponses
Et tous tes messages
Pour que jamais tu ne renonces
Je veux qu'on se révèle
Que tu me redises, je t'aime

Parle-moi
Parle-moi de nous
Souviens-toi, souviens-toi de tout
Parle-moi
Parle-moi de nous
Si tu veux encore de nous

Dans nos cœurs
Où passent les heures
Notre amour a su durer
Si ailleurs
Il tombe des pleurs
C'est toi qui viendras toujours
me consoler

Parle-moi
Parle-moi de nous
Souviens-toi, souviens-toi de tout
Parle-moi
Parle-moi de nous
Si tu veux encore de nous

Source: CÉBASTIEN, musique de Brian ST-PIERRE, *Parle-moi de nous*, Montréal, Editorial Avenue/Hervé Productions.

VA PLUS LOIN.

1. Quelle histoire raconte cette chanson ? Discutes-en avec un ou une camarade.

2. En équipe, effectuez une recherche sur un ou une artiste ou un groupe musical francophone. Présentez l'artiste ou le groupe choisi à la classe.

209

À l'œuvre!

Le journal personnel est un document dans lequel on note ses observations, ses pensées et ses sentiments. C'est un excellent moyen de laisser des traces de sa vie. Comme il parle d'événements particuliers de la vie d'une personne, le journal personnel peut aussi servir de document historique. Il nous permet de mieux connaître les gens d'une autre époque.

En équipe, écrivez une page fictive du journal personnel d'un personnage de récit, de roman ou d'un événement historique.

Effectuez votre recherche.

Choisissez un personnage qui vous intéresse. Faites une recherche sur ce personnage. En effectuant votre recherche, pensez aux éléments suivants:

- Quelles sont les caractéristiques de ce personnage?

- En quoi ce personnage pourrait-il intéresser les lecteurs et lectrices?

- Au sujet de quels événements de la vie de ce personnage pourriez-vous écrire une page fictive de son journal personnel?

- Quels faits pourriez-vous ajouter à votre texte pour le rendre vraisemblable?

- Où pourriez-vous trouver ces renseignements?

Quelques CONSEILS

- Lisez des extraits d'un journal personnel pour vous familiariser avec ce genre de texte.

- Décrivez les lieux et le contexte pour situer vos lecteurs et lectrices.

210

Préparez votre page de journal personnel.

- Rédigez votre page de journal personnel en tenant compte de votre auditoire.

- Écrivez la date (le jour, le mois, l'année) dans le haut de la page.

- Rédigez le texte à la première personne du singulier en exprimant ce que le personnage a vu, entendu, vécu, fait et ressenti.

- Ajoutez des faits pour rendre votre récit vraisemblable.

- Avant d'écrire la version définitive de votre page de journal personnel, révisez votre texte et corrigez-le.

Présentez votre page de journal personnel.

- Présentez le contexte expliquant le contenu de votre page de journal.

- Lisez votre page de journal avec expression, en variant votre intonation pour rendre la présentation plus captivante.

- Invitez votre auditoire à vous donner une rétroaction.

Faites un retour sur votre travail.

- Qu'avez-vous appris en faisant ce travail ?

- Avez-vous trouvé cette tâche difficile ? Pourquoi ?

- Avez-vous bien réparti le travail ?

- Quel aspect de votre présentation vous inspire le plus de fierté ?

- Quelle est l'importance de l'intonation lorsque vous lisez votre extrait de journal ?

- Avez-vous reçu une rétroaction positive de la part de votre auditoire ? Comment le savez-vous ?

- Que pourriez-vous améliorer la prochaine fois ?

211

LA CRÉATION DU PREMIER GUERRIER

par Léo-James Lévesque

Comment un récit peut-il stimuler ton imaginaire ?

Par une belle nuit étoilée, une troupe de braves guerriers
se rassemble autour d'un grand feu de camp dans la prairie.
La lune brille et on entend le feu pétiller. Le plus vieux des guerriers,
une couverture de peau sur les épaules, se lève et commence
à conter l'histoire de la création du premier guerrier…

Après avoir créé le ciel, le Soleil, la Lune et les étoiles, Coyote, le chien du désert, a créé les plaines, les arbres, les rivières, puis les animaux.

— Et maintenant, dit Coyote, le temps est venu pour moi de créer le premier guerrier. Il sera non seulement le plus fort, mais aussi la meilleure de toutes mes créatures. Il sera le défenseur de la Terre.

Aussitôt, les autres animaux se rassemblent autour de Coyote pour regarder avec attention ce qu'il va créer. Ours, Cerf et Hibou décident alors de lui formuler leurs demandes.

OBSERVE LE TEXTE.
Quels éléments merveilleux ce récit contient-il ?

— Le guerrier devrait avoir des dents pointues et de longues griffes pour déchirer la viande et se nourrir, recommande Ours.

— Comme tes dents et tes griffes ? demande Coyote.

— Bien sûr, comme les miennes ! répond Ours. Il lui faudra aussi une fourrure épaisse et, surtout, une voix puissante !

— Comme ta fourrure et ta voix ? demande Coyote. Une fourrure qui garde au chaud et une voix qui éloigne les dangers ?

— Oui, confirme Ours, une fourrure et une voix comme les miennes !

Cerf ne partage pas l'avis du vieil Ours. Alors il décide d'intervenir.

— Mais pourquoi vouloir déchirer la viande et faire peur aux autres ? questionne Cerf. Le guerrier devrait plutôt pouvoir reconnaître le danger et fuir au besoin. Il devrait avoir les oreilles en forme de coquillages afin de percevoir le moindre bruit. Et enfin, il devrait avoir de très grands yeux comme la Lune, pour tout voir.

— Comme tes oreilles et tes yeux ? demande Ours.

— Oui, répond Cerf, des oreilles et des yeux comme les miens.

À son tour, Hibou, perché sur une grande branche d'un pin blanc, donne son avis.

213

— Pour que le premier guerrier soit réussi, il lui faut des ailes pour voler.

— Comme les tiennes ? demande Coyote.

— Mais pourquoi ne voulez-vous pas entendre nos recommandations, mon cher Coyote ? se plaint Hibou.

— Vous ne comprenez pas, reprend doucement Coyote. Le premier guerrier ne doit pas vous ressembler.

— Alors, je suppose que vous voudriez qu'il soit semblable à vous, Coyote ! grogne Ours.

— Mais non, répond Coyote. Le premier guerrier doit être différent.

— Mais il doit être capable de voler ! insiste Hibou.

— Et avoir de bonnes oreilles, ajoute Cerf.

Bientôt, les animaux commencent à se battre à coups de dents, d'ailes, de cornes et de griffes sous les yeux de Coyote.

— Arrêtez ! hurle Coyote. Ours, tu as raison de dire que le guerrier doit être fort et avoir une voix puissante. Mais il lui en faut aussi une petite comme Souris, pour ne pas être trop terrifiant. Cerf, tu as raison de dire qu'il lui faut des oreilles très fines et de bons yeux. Cependant, ses oreilles n'ont pas à être aussi grandes que les tiennes. Et puis, Hibou, je ne crois pas que le premier guerrier doit avoir des ailes. Après tout, il sera le défenseur de la Terre et non celui du ciel. De plus, il n'a pas besoin de fourrure. Non, il doit être lisse comme Poisson. Mais, le plus important, termine Coyote, c'est qu'il doit posséder une intelligence qui surpasse toutes les autres !

— Comme la tienne ? demande Hibou.

— Comme la mienne ! dit Coyote.

— Personne n'est d'accord avec cette idée ! grogne Ours.

— Alors, que chacun façonne avec de la glaise le guerrier idéal, tel qu'il l'imagine, propose Coyote, avec calme. Demain, nous choisirons le guerrier que nous jugerons le plus réussi !

Hibou a fait un guerrier avec des ailes. Cerf a fait un guerrier avec de grands yeux et de grandes oreilles. Ours a fait un guerrier aux dents pointues et aux longues griffes. Puis, le soleil s'est couché à l'horizon. Tous les animaux se sont endormis, à l'exception de Coyote. Il est allé chercher de l'eau à la rivière et l'a versée sur les créations des trois animaux.

Le lendemain, au réveil, les animaux ont découvert le premier guerrier.

Ayant terminé son histoire, le vieux guerrier s'assied devant le grand feu de camp en serrant sa couverture autour de ses épaules.
Au loin dans la prairie, on peut entendre le cri du coyote.

Source : Inspiré d'une légende autochtone.

VA PLUS LOIN. ●

1. Avec un ou une camarade, adapte cette histoire pour raconter la création du premier enseignant ou de la première enseignante. Lisez votre histoire à la classe.

2. En équipe, effectuez une recherche pour trouver une légende autochtone ou un récit au sujet de votre région. Présentez votre découverte à la classe sous forme de saynète.

215

LUCIE WAN TREMBLAY
et l'énigme de l'autobus

par Agnès Grimaud

Quelles sont les qualités d'un bon enquêteur ?

Lucie Wan Tremblay part en vacances avec son cousin Léo et sa grand-mère. Ils se dirigent en autocar vers Rimouski et font un arrêt à Québec.

Une mauvaise surprise nous attend alors que nous sommes de retour au quai 9. Toutes les valises sont alignées sur le trottoir et deux policiers se trouvent sur place. L'un d'eux interroge le chauffeur.

— Que se passe-t-il ? s'inquiète ma grand-mère.

Une dame nous explique la situation.

— Un passager qui était dans l'autocar de Montréal, ce matin, a voulu prendre un chandail dans sa valise. Il a remarqué que ses CD avaient disparu ! D'autres personnes ont aussitôt examiné leurs bagages. Certaines ont constaté qu'il leur manquait aussi des objets.

— Comme quoi ? s'enquiert Léo.

— Des DVD, des bijoux, du parfum et même du chocolat.

Tiens donc, en plus d'être sélectif, ce voleur semble gourmand…

Une policière s'avance vers nous :

— Bonjour, je suis l'agente Dupuis. D'où arrivez-vous ?

— De Montréal, répond grand-maman.

OBSERVE LE TEXTE.

Quels éléments et quels mots indiquent la présence de paroles rapportées ?

216

— Dans ce cas, pourriez-vous vérifier vos bagages, s'il vous plaît ? Plusieurs voyageurs en provenance de cette ville se sont fait voler des effets personnels.

— Le malfaiteur agit aussi à Québec, n'est-ce pas ? ne puis-je m'empêcher de lui demander.

La policière me regarde, étonnée :

— D'où tiens-tu ce renseignement ?

Je lui raconte comment la lecture des panneaux d'affichage m'a mise sur la piste.

— Tu as un excellent esprit de déduction ! me félicite-t-elle. En fait, des vols ont été signalés dans plusieurs villes : Montréal, Québec, Sherbrooke…

Tandis que l'agente Dupuis écrit des notes dans son calepin, je me fige en apercevant un mendiant qui s'éloigne du quai, accompagné d'un chien. Léo me secoue le bras :

— Qu'est-ce qui t'arrive, Lucie ?

Des voleurs déguisés

L'inquiétude de mon cousin attire l'attention de la policière, qui se penche vers moi :

— Est-ce que ça va, ma belle ?

— Je… Oui !

Je respire un grand coup avant de déclarer, triomphante :

— J'ai découvert les coupables. Je sais comment ils s'y prennent !

L'agente Dupuis, intriguée, m'encourage à poursuivre. Je me lance :

— Les objets qui disparaissent sont soigneusement choisis. De plus, ils se trouvent toujours à l'intérieur des bagages.

— Je suis déjà au courant de tout ça. Et après ? me demande-t-elle, perplexe.

— Eh bien… Le malfaiteur doit forcément connaître le contenu des valises avant de commettre ses vols. Or, aucun humain ne peut deviner ce qui se cache dans un sac. Par contre, un chien, si ! Grâce à son flair !

— Un chien renifleur ! s'exclame la policière. Hum, hum… Il est vrai que leur odorat leur permet de détecter de nombreux produits.

Je m'empresse d'ajouter :

— Mais les animaux sont interdits à bord des autobus. Les seuls chiens que l'on rencontre sur les quais sont ceux des aveugles ou des…

— Mendiants ! s'écrie mon cousin en se souvenant de ma réaction de tantôt.

— Bravo, Léo ! J'ai en effet repéré un sans-abri à Montréal et un autre, ici, à Québec. Ils avaient chacun un chien.

— Tu accuses ces pauvres gens d'être des criminels ! Voyons, ma goélette ! s'indigne grand-maman.

— Non, je crois plutôt que les malfaiteurs se déguisent en clochards et qu'ils opèrent dans plusieurs villes.

— On aurait affaire à un réseau organisé de voleurs vagabonds, conclut l'agente. En théorie, ton hypothèse tient la route. Chapeau ! Malheureusement, en pratique, c'est une autre histoire…

Elle m'explique ensuite qu'elle connaît bien les sans-logis :

— Nous les fréquentons quotidiennement en patrouillant dans le secteur. Si un mendiant commettait un larcin, il risquerait fort d'être repéré par un policier.

— Alors, selon vous, ce déguisement n'est pas assez discret pour un voleur, dis-je, franchement déçue.

— Exactement… Tu sais, le métier d'enquêteur consiste à recueillir des preuves, puis à élaborer des hypothèses que l'on doit vérifier. Crois-moi, il faut souvent réexaminer les indices et imaginer un nouveau scénario.

218

Un nouveau scénario

Le conducteur s'apprête à fermer les deux compartiments de la soute à bagages. Tout à coup, un passager en retard apparaît. Mince ! Il s'agit d'un autre Monsieur Muscles. Il a la même allure sportive que celui que j'ai vu plus tôt, sauf qu'il est plus souriant et plus chevelu. Il transporte lui aussi un énorme sac de hockey qui semble peser une tonne. Tiens, il le place dans la section la plus remplie. L'homme compresse même quelques valises pour que la sienne entre comme il faut, sans être écrasée. Puis il monte dans l'autocar.

Pourquoi a-t-il rangé son sac là où il y avait le plus de bagages ? Il s'est donné beaucoup de mal pour rien. J'ai envie d'aller voir cela de plus près. Et je sais comment m'y prendre… Hop, hop, oups ! Je laisse tomber volontairement ma balle. Elle roule sous l'autocar.

— File la chercher, me conseille le chauffeur. On part dans une minute.

Je m'exécute, ravie que mon plan fonctionne si bien. Je m'approche du compartiment et me contorsionne pour récupérer ma superballe. Dans la foulée, j'en profite pour palper le sac de hockey. Ça alors !

Abasourdie, je me relève sans rien dire. Aussitôt que le conducteur verrouille les portes de la soute, Léo et moi grimpons à bord. Je suis vraiment troublée. Lorsque j'ai tâté le sac, il a frissonné comme si je le chatouillais ! Maintenant, c'est moi qui tremble ! Je dois élucider cet inquiétant mystère.

L'autocar roule depuis un moment. J'ai eu le temps de me calmer et de réfléchir. Je crois que l'agente Dupuis approuverait mon nouveau scénario. Selon moi, il y a deux sortes de méchants dans cette affaire. Les premiers passent inaperçus sous leur déguisement de sportif. Ils montent toujours dans l'autocar à la toute dernière minute afin que leur sac ne se retrouve surtout pas au fond de la soute. En effet, ils veulent le récupérer en vitesse une fois qu'ils sont parvenus à destination. Ces gaillards doivent être musclés, car leur paquet est lourd au départ et archi-lourd à l'arrivée, si je me fie à la façon dont ils le portent.

Comment cet immense sac peut-il prendre du poids en demeurant dans le compartiment à bagages ? C'est simple. Un deuxième bandit se terre dans le ventre de l'autocar. Pour jouer le rôle de ce vilain, pas besoin de se costumer. Il faut simplement être une personne de petite taille capable de se glisser dans un sac de hockey. Je pense au nain que j'ai remarqué plus tôt, bien entendu. Et celui-ci n'est pas grincheux comme dans le film *Blanche-Neige*, mais plutôt chatouilleux !

La suite est facile à imaginer. Pendant que l'autocar roule, le voleur sort de sa cachette. Il a alors de longues heures devant lui pour fouiller les bagages. Il dérobe uniquement les objets de valeur (et du chocolat s'il a une fringale…) avant de refermer les valises. À la fin du voyage, il retourne se cacher dans le sac de hockey avec son butin !

Monsieur Muscles descend systématiquement de l'autocar en premier. Il se précipite alors au petit coin pour délivrer son complice, et non parce qu'il a une envie pressante. Quand il sort des toilettes, son sac, même s'il est rempli de trucs volés, s'est drôlement allégé. Les deux malfaiteurs quittent ensuite le terminus chacun de leur côté.

À mon avis, il n'y a qu'un seul nain dans cette équipe d'escrocs. Par contre, le comportement de Monsieur Muscles attire nécessairement l'attention. Personne n'aime les retardataires. C'est pourquoi je pense que plusieurs fripouilles interprètent tour à tour ce personnage.

Super-toutou

Les empreintes digitales ! Quelle idée géniale ! Je pourrais recueillir un truc que Monsieur Muscles a manipulé afin d'obtenir ses empreintes. Ensuite, je remettrais ce précieux indice à la police. L'idéal serait qu'il touche une chose qui m'appartient. Comme quoi ?

Bingo ! Je pense avoir trouvé… Mais je dois convaincre mon cousin de me prêter Monsieur Bisou.

— Dis oui, Léo ! Si ça fonctionne, ton nounours deviendra un héros.

— Bon… d'accord, je te le passe ! Mais à une condition : tu me laisses le préparer pour sa mission.

J'ignore si on peut relever des empreintes sur de la peluche. Par contre, on peut le faire sur une surface lisse comme du papier ou du métal. J'attrape un vieux sac de plastique oublié au fond

220

de mon sac à dos et le tends à Léo, qui le noue délicatement autour du cou de son ours. Vêtu de cette cape blanche, Monsieur Bisou est prêt à jouer son rôle de justicier…

Mon cousin serre son ourson comme s'il le voyait pour la dernière fois. Puis il me le confie. Je me lève pour aller aux toilettes situées à l'arrière de l'autocar. Arrivée à la hauteur du suspect, je lâche le toutou, mine de rien, en prenant soin qu'il atterrisse sur le ventre.

— Hé! attends! Ton ours est par terre! me lance Monsieur Muscles.

Il le saisit et me le tend gentiment. Je le reprends en souriant malgré mon inquiétude. Un voleur poli, on aura tout vu! C'est sans doute sa façon de se fondre dans la masse…

Fiou! Monsieur Bisou a réussi sa mission périlleuse. Le voyou est tombé dans le piège. Ses empreintes sont désormais gravées sur la cape du nounours.

Nous voilà enfin à Rimouski.

Dans le terminus, je m'empresse de tout raconter à grand-maman et à son frère Pierre, qui est venu nous chercher. Ils m'écoutent attentivement et décident d'appeler la police. Un agent se présente rapidement sur les lieux. Il note mon témoignage, impressionné.

Trois jours plus tard, un journaliste vient m'interviewer au chalet. Le lendemain, mon histoire fait la une du journal de Rimouski.

Source: Agnès GRIMAUD, *Lucie Wan et l'énigme de l'autobus*, coll. Dominique et compagnie, Saint-Lambert, Les éditions Héritage inc., 2009, p. 29-38, 43-49, 51-57.

VA PLUS LOIN. ···

1. Avec un ou une camarade, dégage la structure de ce récit à l'aide d'un tableau semblable à celui-ci.

Situation de départ	Élément déclencheur	Péripéties	Dénouement	Situation finale

2. En équipe, recréez un des principaux lieux évoqués dans ce texte. Il peut s'agir d'une maquette, d'un collage ou simplement d'un dessin. Présentez votre travail à une autre équipe.

221

CÉLESTE, MA PLANÈTE

par Timothée de Fombelle

OBSERVE LE TEXTE.
Quels éléments rendent ce récit
de science-fiction plus crédible ?

Qu'est-ce qui
rend un récit
captivant ?

Dans une immense ville moderne, un adolescent de 14 ans tombe amoureux d'une jeune fille malade, appelée Céleste. Brusquement, l'adolescent prend conscience du mal étrange qui frappe douloureusement Céleste.

Là, sur le kiosque…

J'ai cessé de respirer.

Une forme noire sur l'affiche d'un journal épinglée sur le mur. Comme une grosse tache d'encre. La forme d'un cœur un peu grignoté. J'ai fermé les yeux et je les ai rouverts. La tache noire était toujours là.

Céleste.

C'était exactement la forme que j'avais vue sur le front de Céleste.

J'ai de nouveau cligné des yeux. La musique s'était arrêtée. Je me suis approché de l'affiche. Il y avait un sous-titre sous la tache.

AMAZONIE. L'ADIEU.

J'ai pris une grande inspiration. J'avais déjà vu cette image. Le dernier hectare de forêt d'Amazonie. Pas plus grand qu'un petit bois. Vu du ciel, il n'y avait plus que ce cœur rogné.

On avait entouré de barbelé ce dernier coin de forêt.

Le musicien a dit dans mon dos :

— Le pire, c'est que si c'était une personne, on trouverait le moyen de la sauver.

Je me suis brusquement retourné.

— De qui vous parlez ?

Il a laissé passer un instant avant de répondre en montrant l'affiche :

— De la planète. Si c'était une personne, on ferait tout pour la sauver.

Il y a des phrases toutes simples qui changent des vies.

J'ai serré le musicien dans mes bras et je me suis mis à courir.

Je n'avais jamais couru aussi vite. Quand j'ai ouvert la porte de l'appartement et que la lumière a jailli, j'ai immédiatement tourné les yeux vers le sac de toile que j'avais laissé tomber là en entrant le matin.

J'ai ramassé le sac et je l'ai ouvert. J'ai sorti l'atlas que je voulais offrir à Céleste. C'était mon atlas préféré. Un petit livre pas cher d'une centaine de pages. Il s'appelait *Atlas d'un monde fragile*.

À l'intérieur, il y avait l'enveloppe que m'avait confiée la surveillante. C'était ça que je cherchais. Cette enveloppe noire. Je savais que j'avais oublié de la rendre.

En vidant l'enveloppe sur la table, j'ai découvert des photos. Une dizaine de photos. Elles montraient la peau de Céleste. Son bras, son cou,

ses jambes… Il y avait des taches un peu partout. Sur cette peau si fine, si douce, des taches sombres se dessinaient. La peau était rongée.

Il y avait aussi une photo de son visage en entier. Elle était magnifique. Elle souriait au médecin qui la photographiait.

J'ai trouvé le gros plan de son front. J'avais raison. C'était exactement la forme de l'Amazonie décimée.

Une autre photo a attiré mon attention. Sur l'épaule de Céleste, la peau paraissait pelée et dessinait nettement les contours de…

J'ai ouvert l'atlas et tourné fiévreusement ses pages.

L'Arctique !

D'un coup d'œil, j'ai comparé la photo avec l'atlas.

Ma main tremblait.

Sur l'épaule de Céleste, on observait la fonte de la banquise de l'Arctique…

Dans les minutes qui ont suivi, j'ai tout compris.

La désertification de l'Afrique, l'immersion des côtes indiennes, toutes les catastrophes écologiques du monde apparaissaient sur le corps de Céleste.

Chaque coup porté à notre Terre était reçu par Céleste.

Céleste ne souffrait de rien d'autre que de la maladie de notre planète.

Elle allait en mourir à petit feu.

Son sang devait être pollué comme les mers et les rivières, et ses poumons comme le plafond de fumée de nos villes.

J'ai pris ma tête dans mes mains.

La lumière se faisait d'un coup dans mon esprit.

Au fil des analyses et des radiographies, les médecins du groupe *!ndustry* avaient fait la même découverte que moi.

Ils avaient compris les conséquences de cette découverte. Si quelqu'un apprenait qu'une fille de 14 ans vivait à chaque instant ce que l'on inflige à notre planète, si cette nouvelle se répandait, si le monde en était informé, plus rien ne serait comme avant.

Et la première victime de cette prise de conscience serait cette immense société qui polluait le monde entier et dont le nom clignotait en haut de la tour : *!NDUSTRY*.

Révéler la maladie de Céleste, c'était signer l'arrêt de mort de l'entreprise.

Il ne leur restait qu'une seule issue : faire disparaître Céleste.

« Si c'était une personne, m'avait dit le musicien, on trouverait le moyen de la sauver. »

Pour moi, ce n'était pas seulement une personne, c'était la fille que j'aimais.

Alors j'allais trouver.

Source : Timothée de FOMBELLE, *Céleste, ma planète*, Paris, Éditions Gallimard Jeunesse, 2009, p. 59-63.

VA PLUS LOIN.

1. Avec un ou une camarade, dégage la structure de ce récit à l'aide d'un tableau semblable à celui-ci.

Situation de départ	Élément déclencheur	Péripéties	Dénouement	Situation finale

2. En équipe, effectuez une recherche en bibliothèque ou dans Internet pour trouver d'autres récits de science-fiction. Choisissez-en un et présentez-le à la classe sous la forme d'une bande dessinée.

À ton tour !

C'est à ton tour de mettre en application ce que tu as appris sur les récits pour organiser une soirée villageoise d'autrefois au cours de laquelle des conteurs et conteuses présentent leurs histoires. Écris un récit de ton choix (ex. : fantastique, de science-fiction, d'intrigue policière). Exerce-toi à le raconter et présente-le à tes camarades de classe lors d'une soirée villageoise.

Prépare ton récit.

- Détermine si ton récit sera fictif ou réel.
- Détermine tes destinataires et ton narrateur ou ta narratrice.
- Prépare une fiche descriptive de tes personnages principaux et secondaires.
- Fais un plan de ton récit. Rappelle-toi qu'un récit comprend une situation de départ, un élément déclencheur, des péripéties, un dénouement et une situation finale.

Situation de départ	Élément déclencheur	Péripéties	Dénouement	Situation finale

- Rédige des phrases descriptives qui permettront à ton auditoire de visualiser ton récit.
- Choisis des verbes percutants et varie la structure de tes phrases.
- Utilise des marqueurs de relation pour bien enchaîner tes idées et assurer une progression de l'information présentée.
- Exerce-toi à présenter ton récit.

Présente ton récit.

- Présente ton récit à la classe lors d'une rencontre de conteurs et conteuses d'histoires.
- Demande une rétroaction à ton auditoire.

226

Gros plan sur tes **apprentissages**

Prépare-toi.

■ Rassemble tes notes et les travaux réalisés dans ce module.

Réfléchis et discute.

■ Travaille avec un ou une camarade.

■ Ensemble, lisez les objectifs d'apprentissage présentés à la page 184.

■ Évalue ton travail. As-tu atteint les objectifs ?

■ Trouve des exemples qui montrent que tu as atteint les objectifs.

Fais tes choix.

■ Choisis deux travaux qui montrent que tu as atteint les objectifs d'apprentissage. Un même travail peut montrer que tu as atteint plusieurs objectifs.

Justifie tes choix.

■ Décris ce que chaque travail montre au sujet de tes apprentissages.

Mes choix	J'ajoute ces travaux à mon portfolio parce que...

Réfléchis.

■ Qu'as-tu appris sur les récits ?

■ Qu'as-tu appris sur la rédaction d'un journal personnel ?

■ Quels textes ou quelles activités as-tu le plus aimés ? Lesquels t'ont le plus fait réfléchir ?

227

Le **Canada**, notre héritage

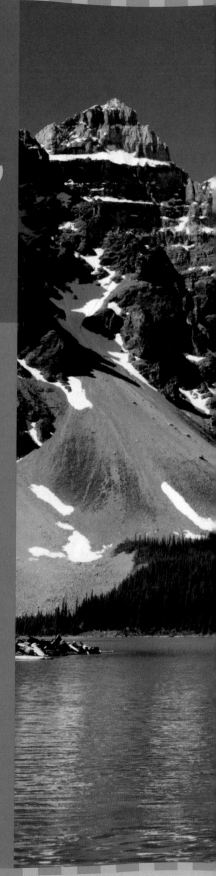

OBJECTIFS D'APPRENTISSAGE

Dans ce module, tu vas faire les tâches suivantes :

- écouter, lire et écrire des textes informatifs et narratifs sur des explorateurs canadiens ;

- lire une variété de textes sur l'héritage canadien, dont des récits historiques, des dépliants touristiques, une chanson et un extrait d'un journal personnel ;

- présenter un site historique du Canada sous forme de dépliant touristique ;

- rédiger et présenter une page du journal personnel d'un personnage historique.

une colonie
une époque
une expédition
un explorateur,
une exploratrice
une fortification
un site historique

229

Perdu et retrouvé

par Pat Hancock

Comment les objets peuvent-ils raconter le passé ?

C'était en 1867. Le jeune Edward Lee n'avait que 14 ans. Ce matin-là, il avait travaillé avec son père, John. Ils avaient défriché une section de terrain à l'est de Cobden, en Ontario. Le capitaine Overman était commandant d'un bateau à vapeur local et propriétaire du terrain. Il avait embauché les Lee pour faire ce travail. John coupait les troncs en rondins pendant qu'Edward les déplaçait avec l'aide de deux bœufs.

Ce sera bientôt l'heure de manger, se disait Edward en glissant une chaîne sous un rondin. Le rondin était à côté d'un petit ruisseau qui se déversait dans le lac Green.

Quand les bœufs ont tiré sur le rondin, Edward l'a aperçu. C'était un objet jaune qui brillait sous le soleil de midi.

C'est sans doute une pièce d'or! Je serai peut-être riche, a-t-il pensé en s'agenouillant pour libérer le disque de métal. C'était rond comme une pièce de monnaie, mais plus grand. Il mesurait environ 15 cm de diamètre. Il y avait des lignes et des chiffres sur le disque. Une flèche était fixée au centre.

— Papa, regarde ce que j'ai trouvé! a crié Edward.

John a déposé sa hache avant d'aller rejoindre son fils.

— Je pense que c'est un compas, a déclaré Edward en lui tendant le disque qui semblait fabriqué en laiton.

— Peut-être pas, mon fils, mais cela sert à mesurer. As-tu remarqué ceci? a ajouté le père, en montrant du doigt les petits *1603* et *Paris* sur la partie qui ressemblait à un cadran.

Après un rapide calcul mental, Edward s'est exclamé:

— Cela fait plus de 250 ans, papa! C'est peut-être précieux.

— On ne sait jamais, a répondu le père. Je vais voir ce que le capitaine en pense.

Plus tard ce jour-là, le père d'Edward a montré l'objet au capitaine Overman. Celui-ci a demandé à garder la pièce. En retour, il donnerait 10 $ aux Lee.

Voici l'astrolabe qu'Edward Lee a trouvé.

231

Quelque temps plus tard

Le capitaine Overman n'a jamais donné les 10 $ aux Lee. Le père d'Edward aurait dû exiger l'argent d'abord et ensuite remettre l'objet au capitaine. Imagine s'il avait su que sa découverte allait valoir près de 30 000 fois plus cher un jour !

L'objet trouvé par Edward était un *astrolabe*. Les astrolabes étaient utilisés pour la navigation du IIIe au XVIIe siècle. Les marins s'en servaient pour déterminer leur position par rapport à l'équateur. On a fait fondre la plupart des astrolabes pour récupérer le laiton. Aujourd'hui, on n'en compte plus que 84 dans le monde.

Edward a découvert un objet très rare. Mais c'est *l'endroit* où l'objet a été découvert qui a suscité le plus d'intérêt et qui a fait augmenter sa valeur.

Cette peinture représente Samuel de Champlain.

Un retour dans le passé

Au printemps 1613, le célèbre explorateur français Samuel de Champlain terminait sa cinquième traversée de l'Atlantique. Il tenait un journal et dessinait des cartes détaillées des endroits qu'il visitait. Lors de ce voyage, il a décidé d'explorer la rivière des Outaouais pour la première fois.

Une carte de Champlain. Le cercle rouge indique la région du lac Green.

Ce voyage a été difficile. Quand Champlain et ses compagnons ont atteint les rapides à l'est de l'île du Grand Calumet, ils ont dû abandonner leurs canots. Ils ont fait du portage jusqu'au lac Muskrat. Dans son journal, Champlain mentionne qu'il a longé quatre petites nappes d'eau. Certains historiens ont conclu que l'une d'entre elles était le lac Green.

Vers la fin des années 1800, des historiens ont commencé à s'interroger sur l'origine de l'astrolabe trouvé par Edward en 1867. S'agissait-il de celui de Champlain ? Est-ce que l'instrument aurait glissé hors de son sac ?

R. W. Cassels, l'homme de Toronto qui avait reçu l'astrolabe du capitaine Overman, aimait croire en cette possibilité. En 1901, la nouvelle de l'origine possible de l'astrolabe s'était répandue. C'est ainsi que Cassels a pu vendre l'astrolabe 500 $ à un Américain nommé Samuel Hoffman. En 1942, Hoffman l'a légué à la New York Historical Society.

Cette statue de Champlain tenant un astrolabe a été érigée en 1915. Elle surplombe la rivière des Outaouais. Malheureusement, on dirait que Champlain ne sait pas comment utiliser l'instrument : il le tient à l'envers !

De retour au bercail

L'astrolabe est resté à New York jusqu'en 1989. Le gouvernement canadien a payé près de 300 000 $ pour le rapatrier au Musée canadien des civilisations, en Outaouais.

De nos jours, l'identité du premier propriétaire de l'instrument demeure un mystère. Appartenait-il à Champlain, ou à des missionnaires qui empruntaient les mêmes routes que Champlain ? Nous ne le saurons probablement jamais.

PARLONS-EN !

- Avec un ou une camarade, discute de l'importance de préserver des objets du passé.

- En équipe, préparez un jeu de rôle. Imaginez qu'Edward veut garder l'astrolabe. Vous devez le convaincre de l'importance de le remettre à des experts, car un jour cet instrument témoignera du passé. Présentez votre jeu de rôle à une autre équipe.

233

Lire un dépliant touristique

Un dépliant touristique est un texte informatif qui fournit des renseignements sur des faits, des événements ou des endroits réels. Ce genre de texte est utile pour inciter les gens à visiter un endroit et leur fournir des renseignements au sujet de notre histoire, de notre passé.

Exprime-toi!

Rappelle-toi un dépliant touristique que tu as déjà lu ou une émission que tu as vue au sujet d'un personnage ou d'un site historique du Canada. Discutes-en avec un ou une camarade.

- Quel était le but du texte ou de l'émission?

- Qu'as-tu appris dans ce texte ou au cours de cette émission?

- Où peux-tu trouver des renseignements sur des personnages ou des sites historiques du Canada?

Voici quelques indices.

Ensemble, dressez une liste des textes informatifs que vous avez lus et des émissions que vous avez vues sur des personnages ou des sites historiques canadiens. Dans chaque cas, indiquez ce que vous avez appris.

Texte ou émission	Qu'avez-vous appris?
Des pas sur la neige	Les premiers habitants vivaient des épreuves difficiles.

Lis avec habileté

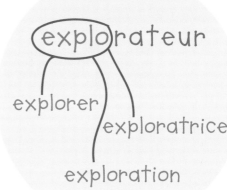

Précise ton intention.

■ Pourquoi lis-tu des dépliants touristiques ou d'autres textes informatifs ?

Décode le texte.

■ Les textes informatifs contiennent parfois des mots que tu ne connais pas. Pour t'aider à comprendre le sens de ces mots nouveaux, pense à d'autres mots qui sont de la même famille. Ensuite, consulte un dictionnaire pour en vérifier le sens.

Construis le sens du texte.

Applique les stratégies suivantes lorsque tu lis des textes informatifs.

UTILISE TES CONNAISSANCES.	Lis attentivement les titres et observe les images. À quoi te font-ils penser ? Que connais-tu du sujet présenté ?
DÉTERMINE CE QUI EST IMPORTANT.	Quels sont les renseignements importants du texte ?
FAIS UN RÉSUMÉ.	Quels renseignements devrais-tu retenir du texte ? Présente-les dans un organisateur graphique.

Analyse le texte.

■ Tu viens de lire des renseignements sur des événements qui se sont produits il y a longtemps. Qui a écrit ce texte ? Une autre personne aurait-elle pu présenter l'information d'une autre façon ?

■ Comment peux-tu vérifier si les renseignements présentés dans un texte sont exacts ?

LIEU HISTORIQUE NATIONAL DU CANADA :

la Forteresse-de-Louisbourg

UTILISE TES CONNAISSANCES.

Que connais-tu au sujet des sites historiques canadiens ?

La Forteresse-de-Louisbourg est située sur l'île du Cap-Breton, en Nouvelle-Écosse. Elle est bordée par l'océan Atlantique. La forteresse actuelle est une reconstruction fidèle de la ville fortifiée française du XVIIIe siècle. Elle comprend plus de 50 bâtiments sur une superficie de 12 acres. Parcourir ce site, c'est être témoin de la vie des gens qui ont marqué l'histoire de notre pays.

Remontez dans le temps !

Louisbourg était l'ancienne capitale de l'île Royale, aujourd'hui appelée île du Cap-Breton. Elle porte ce nom en l'honneur du roi de France. En 1713, les Français débarquent à Louisbourg. Quelques années plus tard, en 1719, ils entreprennent la construction de la ville fortifiée. Vers les années 1740, la ville est belle, entourée de remparts qui bordent des bâtiments faits de pierre rapportée de France. La construction s'achève en 1745. Cette ville située le long du port devient rapidement prospère grâce à la pêche à la morue. La colonie est alors un important centre commercial. Des provisions provenant de la France, du Québec, des Antilles et de la Nouvelle-Angleterre passent par le port de Louisbourg.

En 1745, la guerre entre la France et la Grande-Bretagne est déclarée. En 1758, les forces anglaises démolissent les remparts de la forteresse. Il ne reste que des ruines.

En 1961, le gouvernement du Canada lance un projet de reconstruction d'une partie de la ville et de ses fortifications. La reconstruction est fidèle à la ville d'origine, dans les années 1740.

DÉTERMINE CE QUI EST IMPORTANT.

Quels sont les renseignements importants de ce texte ?

Vivez une expérience inoubliable !

- Prévoyez une journée pour explorer le site historique de Louisbourg.
- Découvrez le port de pêche. Chaque année, de 1713 à 1758, le port de Louisbourg accueillait en moyenne 150 navires.
- Promenez-vous dans le village et rencontrez des gens qui vous raconteront la vie des colons qui ont contribué à la prospérité des débuts de la Nouvelle-France.
- Arrêtez-vous à la maison Carrerot et découvrez les techniques de construction de l'époque.
- Attardez-vous aux centres thématiques et aux expositions.
- Venez au musée admirer un modèle réduit de la forteresse et quelques objets trouvés pendant les fouilles du site.
- Visitez la maison Duhaget et visionnez une vidéo sur la vie des soldats de Louisbourg.

- Profitez d'une visite guidée à la lanterne pour explorer la ville et écoutez des histoires à vous faire frissonner de peur.

Venez nous visiter...

COMMENT VOUS Y RENDRE ?

De Sydney, suivez la route 22. Ce trajet prend environ 30 minutes.

Vous pouvez aussi emprunter la route 255 à partir de Glace Bay. Longez la côte sur cette route panoramique.

COMMENT NOUS JOINDRE ?

Forteresse-de-Louisbourg
259, chemin Park Service
Louisbourg, Nouvelle-Écosse
Canada
B1C 2L2
Tél. : 902 733-2280

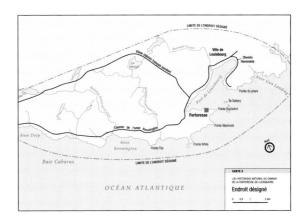

FAIS UN RÉSUMÉ.

Quels renseignements devrais-tu retenir au sujet de la Forteresse-de-Louisbourg ? Présente-les dans un organisateur graphique.

237

LIEU HISTORIQUE NATIONAL DU CANADA :

la Maison-Laurier

La Maison-Laurier est située à Ottawa, en Ontario. Elle a été construite en 1878. Elle se trouve sur la rue Laurier. Deux premiers ministres du Canada, Sir Wilfrid Laurier et William Lyon Mackenzie King, ont habité cette demeure. Visiter cette maison, c'est être témoin de la vie des gens qui ont marqué l'histoire du Canada.

Remontez dans le temps !

La Maison-Laurier a été construite dans un quartier riche de la capitale du Canada, la Côte-de-Sable. Elle est située à proximité du centre-ville d'Ottawa et des édifices du Parlement. On a donné le nom de Maison-Laurier à cette demeure en l'honneur du premier ministre du Canada à l'époque de sa construction, Sir Wilfrid Laurier. Originaire des Cantons-de-l'Est, dans la province de Québec, Wilfrid Laurier a été élu premier ministre en 1896 et est déménagé à Ottawa. Il a été le premier Franco-Canadien à devenir premier ministre du Canada. Sir Wilfrid Laurier a habité dans cette maison de 1897 jusqu'à sa mort en 1919. Sa femme y est morte en 1921.

Plus tard, en 1923, la maison a été habitée par un autre premier ministre du Canada, William Lyon Mackenzie King.

La Maison-Laurier est à présent un site historique. Elle fait partie du patrimoine culturel du Canada. On y a préservé des objets qui ont appartenu aux deux premiers ministres qui l'ont habitée.

Vivez une expérience inoubliable !

- Admirez cette magnifique résidence décorée à la mode des années 1890.
- Au cours d'une visite guidée, découvrez comment ont vécu deux premiers ministres qui ont marqué l'histoire du Canada, Sir Wilfrid Laurier et William Lyon Mackenzie King.
- Prenez le thé sur la véranda. Imaginez les conversations qui ont eu lieu à cet endroit lors des belles journées d'été.
- Attardez-vous à la bibliothèque impressionnante qui a servi de quartier général à Mackenzie King pendant la Seconde Guerre mondiale.
- Participez aux festivités familiales lors de la fête du Canada le 1er juillet, et jouez au croquet sur la pelouse comme au temps de Laurier.

- Assistez aux pièces de théâtre qui reconstituent les activités quotidiennes vécues par ces deux premiers ministres.

Venez nous visiter…

COMMENT VOUS Y RENDRE ?

De l'autoroute 417, prenez la sortie rue Nicholas Nord. Suivez la rue Nicholas jusqu'à la rue Laurier Est. Tournez à droite sur Laurier. La maison est située au coin des rues Laurier Est et Chapel.

COMMENT NOUS JOINDRE ?

Maison-Laurier
335, avenue Laurier Est
Ottawa, Ontario
Canada
K1N 6R4
Tél. : 613 992-8142

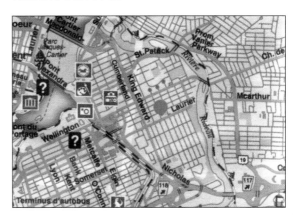

239

LIEU HISTORIQUE NATIONAL DU CANADA :

le village de Batoche

UTILISE TES CONNAISSANCES.

Que connais-tu au sujet des sites historiques canadiens ?

Le village de Batoche est situé sur les bords de la rivière Saskatchewan Sud, en Saskatchewan. Il porte ce nom en l'honneur de Xavier Letendre, dit Batoche, qui a fondé le village en 1873. Ce village, maintenant composé de plusieurs bâtiments restaurés, de maisons typiques de l'époque et de son église, vous plongera au cœur des années 1860 à 1900. Parcourir ce site, c'est un peu être témoin de la vie des Métis qui ont marqué l'histoire de l'Ouest canadien.

Remontez dans le temps !

Batoche était un village métis. Dans les années 1870, les négociations entre le gouvernement en place et les Métis, les pionniers européens et les Premières Nations étaient difficiles. Les Métis voulaient sauvegarder leurs terres et leurs troupeaux de bisons. La tension montait entre les colons et le gouvernement. En 1885, Louis Riel a choisi Batoche pour établir le siège de son gouvernement provisoire. C'est dans ce village que la dernière bataille de la rébellion du Nord-Ouest a eu lieu, en 1885.

La bataille de Batoche n'a duré que 4 jours, soit du 9 au 12 mai 1885. Quelques Métis ont été faits prisonniers. C'est à la suite de cette bataille que Louis Riel a été pendu.

En 1923, le gouvernement du Canada a nommé Batoche lieu historique.

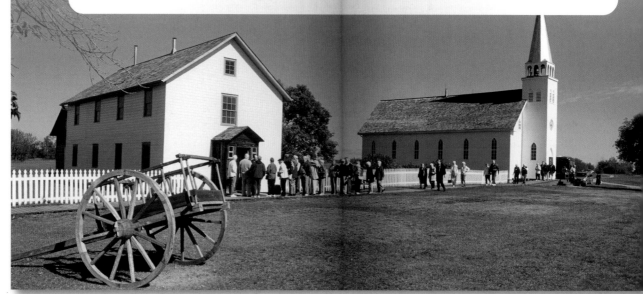

Vivez une expérience inoubliable !

- Prévoyez de trois à cinq heures pour explorer le site historique de Batoche.
- Découvrez les ruines du village qui reflètent le patrimoine métis de l'Ouest canadien.
- Promenez-vous dans le village et rencontrez des gens qui ont contribué à la prospérité des débuts de la colonisation du Canada.
- Visitez quelques bâtiments comme la maison de Jean Caron où vous verrez des scènes de la vie quotidienne des Métis de cette époque.
- Visionnez une présentation multimédia qui vous fera revivre le conflit armé de 1885.
- Arrêtez-vous au cimetière où un monument est érigé à la mémoire des Métis et des Autochtones qui sont morts au cours de la bataille de 1885.

- Découvrez des jeux métis et autochtones et écoutez de la musique lors des festivités entourant la fête du Canada le 1er juillet.

Venez nous visiter…

COMMENT VOUS Y RENDRE ?

Le site historique de Batoche est situé à environ 88 km au nord-est de Saskatoon. Prenez la route 11 en direction nord jusqu'à Rosthern. Puis suivez la route 312 en direction est. Prenez enfin la 225 vers le nord. Batoche est à environ 11 km.

COMMENT NOUS JOINDRE ?
Batoche
RR 1, boîte 1040
Wakaw, Saskatchewan
Canada
S0K 4P0
Tél. : 306 423-6227

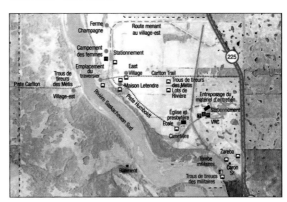

FAIS UN RÉSUMÉ.

Quels renseignements devrais-tu retenir au sujet de Batoche ? Présente-les dans un organisateur graphique.

241

Fais un retour sur tes apprentissages

Tu as...

- discuté de certains sites historiques du Canada;
- lu des dépliants touristiques sur des sites historiques;
- appris des mots nouveaux et des expressions en lien avec des sites historiques canadiens.

marquer l'histoire   la forteresse

le patrimoine

la prospérité   la colonisation

J'aime lire des renseignements sur des sites historiques du Canada. Cela me permet de découvrir l'histoire de mon pays. Qu'en penses-tu?

UTILISE TES CONNAISSANCES.

DÉTERMINE CE QUI EST IMPORTANT.

FAIS UN RÉSUMÉ.

Tu as aussi...

- utilisé différentes stratégies de lecture.

Réfléchis à ta démarche de lecture

Comment l'utilisation d'un organisateur graphique t'a-t-elle été utile pour résumer les renseignements importants? Penses-tu que l'utilisation d'organisateurs graphiques pourrait t'aider à mieux comprendre et retenir les renseignements contenus dans un texte en études sociales?

Écris avec habileté

Dans la section «Des sites historiques à découvrir», tu as lu des textes informatifs présentés sous forme de dépliants touristiques. Analyse ces textes afin de dégager la structure d'un dépliant touristique.

Exprime-toi!

- Qu'as-tu remarqué sur la façon d'écrire un dépliant touristique?

- Qu'est-ce qui distingue un dépliant touristique d'une affiche?

- Comment la personne qui a rédigé les dépliants touristiques que tu as lus a-t-elle réussi à capter ton attention?

- Quelles sont les caractéristiques d'un dépliant touristique? Dresses-en une liste.

La FLUIDITÉ des phrases

- Pourquoi est-ce important de **varier** la **longueur** et la **structure** des phrases dans un texte informatif?

La structure d'un dépliant touristique:

- un titre accrocheur qui présente le site touristique

- une introduction qui décrit le site

- des intertitres qui correspondent aux idées principales

- des paragraphes pour présenter les activités offertes sur le site

- des photos et une carte du site pour accompagner l'information

243

À la recherche du Passage du Nord-Ouest

Pourquoi le Passage du Nord-Ouest est-il si important ?

Les premiers explorateurs, comme John Cabot, croyaient que l'Amérique du Nord n'était qu'un obstacle qui bloquait le passage vers l'Asie. Ces explorateurs cherchaient une voie maritime traversant l'Arctique. Ils n'avaient aucune idée qu'ils devaient, en fait, surmonter tout un continent afin de trouver un chemin plus court pour se rendre en Asie. Même après avoir compris où ils étaient arrivés, certains explorateurs ont continué de chercher un raccourci. À la fin du XVIe siècle, ils ont compris que la route la plus accessible devait passer par le nord.

Un dur labeur

Si tu regardes une carte du nord du Canada, tu verras combien leur tâche a dû être difficile. La région est un labyrinthe d'îles. Sans carte, les navigateurs ne pouvaient pas savoir où menaient les voies navigables. Parfois, la glace brisait les bateaux en éclats. Beaucoup d'explorateurs sont morts de faim ou à la suite de maladies. D'autres sont morts gelés et certains sont simplement disparus.

OBSERVE LE TEXTE.

Quels marqueurs de relation et organisateurs textuels sont utilisés pour rendre le texte plus fluide ?

En dépit de tous les risques que cela comportait, les explorateurs avaient la ferme intention de trouver une route à travers les glaces. Parmi ces explorateurs, il y avait Martin Frobisher en 1576, John Davis en 1585, Henry Hudson en 1607 et William Baffin en 1615. Malgré leurs échecs, ils ont contribué à une meilleure connaissance du Nord. Frobisher Bay (aujourd'hui Iqaluit), le détroit de Davis, la baie d'Hudson et l'île de Baffin ont été nommés en leur honneur.

La deuxième génération d'expéditeurs

Après 1650, l'intérêt pour le passage vers le nord a commencé à diminuer. Les voyages étaient coûteux et périlleux. D'autres explorateurs, comme Edward Parry et John Franklin, ont repris les recherches en 1815. Parry a signalé qu'au mois d'août, la voie maritime était difficile à cause des immenses blocs de glace. Plus tard, un scientifique et aventurier norvégien du nom de Roald Amundsen est parti en expédition. En 1906, Amundsen est devenu le premier navigateur à traverser le Passage du Nord-Ouest d'est en ouest.

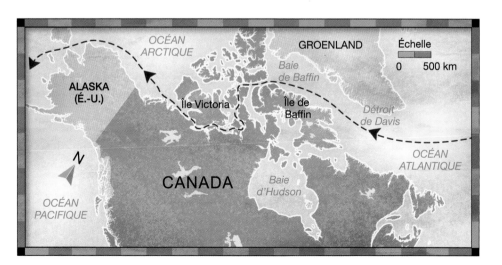

Voici la route que Roald Amundsen a empruntée à travers le Passage du Nord-Ouest (1903-1906).

245

Dans des magazines, des journaux ou dans Internet, cherche des renseignements au sujet d'explorateurs ou d'exploratrices du XXIe siècle. Note les renseignements obtenus dans un tableau (le nom de la personne, sa nationalité, la date et la durée de l'expédition, la destination). Que remarques-tu au sujet des explorations de notre époque ?

En raison de la glace, le Passage du Nord-Ouest n'a jamais été très utilisé pour le commerce. Il était trop dangereux et pas assez rapide. Les explorateurs, en revanche, ont beaucoup appris sur la géographie, les ressources et les habitants du Grand Nord canadien. Les explorateurs anglais ont compris que la baie d'Hudson était l'endroit idéal pour faire le commerce de la fourrure. C'est là qu'ils ont établi la Compagnie de la Baie d'Hudson. Rapidement, cette compagnie a dominé presque tout le commerce de la fourrure en Amérique du Nord.

Henry Hudson a fait quatre tentatives pour trouver le Passage du Nord-Ouest. Durant son dernier voyage en 1611, à bord du *Discovery*, l'équipage qui avait subi un hiver très difficile s'est rebellé. Hudson et son fils John, alors adolescent, ont été abandonnés dans une chaloupe avec quelques membres de l'équipage qui sont restés fidèles à Hudson. On ne les a jamais revus. Bien que le Passage du Nord-Ouest existe, il est quasiment impraticable.

VA PLUS LOIN.

1. Fais le résumé du texte et présente-le oralement à un ou à une camarade. Comparez vos résumés. Quelles sont les ressemblances et les différences ?

2. En équipe, rédigez un paragraphe pour relater chacune des journées d'un explorateur ou d'une exploratrice de votre choix. Répartissez-vous le travail afin d'écrire toute une semaine d'un journal d'exploration. Présentez votre journal à la classe.

Les noms de lieux et leur origine

Quels secrets les noms de lieux cachent-ils ?

Les noms de lieux au Canada en disent long sur l'histoire de ce pays.

Bien avant l'arrivée des Européens en Amérique du Nord, les Premières Nations et les Inuits avaient leurs propres noms pour désigner les cours d'eau, les montagnes, les îles et les colonies. Certains de ces noms ont été adoptés par les Européens et sont encore en usage de nos jours. Dans d'autres cas, les nouveaux arrivants ont trouvé leurs propres noms. Certains décrivent le paysage. D'autres rappellent des événements. Enfin, d'autres font état d'un étrange sens de l'humour ! Voici quelques histoires passionnantes qui se cachent derrière des noms de lieux au Canada.

OBSERVE LE TEXTE.

À ton avis, pourquoi l'information est-elle présentée à l'aide d'une carte ?

Saint-Louis-du-Ha! Ha! QC

LA TUQUE

247

Des noms intéressants au Canada

YUKON

NUNAVUT

TERRITOIRES DU NORD-OUEST

COLOMBIE-BRITANNIQUE

PAIX

ALBERTA

SASKATCHEWAN

MANI...

POSTE DE TANTE

Klukshu
Mot tlingit qui signifie «la fin du saumon». Ce serait le point le plus éloigné vers l'amont.

Coquitlam
Provient du nom de la tribu des Salish *Kawavquitlam* qui signifie «petit saumon rouge». Le nom désigne le saumon sockeye que l'on retrouve en Colombie-Britannique.

Tuktoyaktuk ❸
Provient de l'inuit. *Tuktu* signifie «caribou» et *yaktuk* signifie «ressemble». Le nom signifie «le lieu qui ressemble au caribou».

Wetaskiwin
Signifie «lieu de paix» dans la langue des Cris et «collines de la paix» dans celle des Pieds-Noirs. Vers 1860, alors que les deux tribus campaient de chaque côté d'une colline, les chefs s'y sont rencontrés pour faire la paix.

Fort Qu'Appelle
Ce nom proviendrait du mot cri *Katepwe-Cipi* qui signifie «rivière qui appelle». En 1852, la Compagnie de la Baie d'Hudson y a établi un poste de traite.

Portage la Prairie
Les Premières Nations et les voyageurs devaient transporter (ou portager) leurs canots à cet endroit pour atteindre la rivière. Ils devaient avoir l'impression de traverser les Prairies !

Grise Fiord
Grise signifie «cochon» en norvégien. Un explorateur norvégien a trouvé que le cri des morses ressemblait au grognement du cochon !

Ottawa
Ce nom vient du terme algonquin *adawe*, c'est-à-dire «commercer». C'est le nom qu'on donnait au peuple qui contrôlait le commerce sur la rivière.

248

Puvirnituq
Un mot inuktitut qui signifie
«ça sent la viande pourrie».

Cap Diamant
En 1542, Jacques Cartier croyait
y avoir trouvé des diamants.
En fait, c'était du quartz. Il s'est
bien fait avoir ! De là est né
le dicton «faux comme un
diamant du Canada».

Portage
Kamushkuapetshishkuakanishit
Un des noms de lieux les plus
longs au Canada. Ce mot
montagnais signifie «dans
ce portage, on trébuche sur
les racines».

Cap Enragé
Il doit son nom aux eaux
tumultueuses qui frappent les
récifs. C'est un des endroits
les plus dangereux pour la
navigation dans la baie de Fundy.

Shubenacadie
D'origine mi'kmaq, *segubunakadik*
signifie un endroit où «poussent
les arachides». Les arachides
seraient les pommes de terre
amérindiennes. Elles doivent être
petites !

Port au Choix
Proviendrait du mot basque
Portuichoa qui signifierait «petit
port». On y a retrouvé des
vestiges de plusieurs cultures
anciennes. Serait-ce pour cela
qu'on lui a donné le nom
de Port au Choix ?

VA PLUS LOIN.

1. Avec un ou une camarade, invente un nom de lieu.
   Combinez des mots qui décrivent le lieu ou ce que l'on
   fait à cet endroit.

2. En équipe, trouvez d'autres endroits au Canada ayant
   des noms intéressants. Cherchez l'origine de ces noms.
   Sur une carte, inscrivez les noms et leur signification.
   Discutez de vos résultats en groupe-classe.

249

Évangéline

par Michel Conte

Comment une chanson peut-elle transmettre un message sur le passé ?

Les étoiles étaient dans le ciel
Toi dans les bras de Gabriel
Il faisait beau, c'était dimanche
Les cloches allaient bientôt sonner
Et tu allais te marier
Dans ta première robe blanche
L'automne était bien commencé
Les troupeaux étaient tous rentrés
Et parties toutes les sarcelles
Et le soir au son du violon
Les filles et surtout les garçons
T'auraient dit que tu étais belle

Évangéline, Évangéline

Mais les Anglais sont arrivés
Dans l'église ils ont enfermé
Tous les hommes de ton village
Et les femmes ont dû passer

Avec les enfants qui pleuraient
Toute la nuit sur le rivage
Au matin ils ont embarqué
Gabriel sur un grand voilier
Sans un adieu, sans un sourire
Et toute seule sur le quai
Tu as essayé de prier
Mais tu n'avais plus rien à dire

Évangéline, Évangéline

Alors pendant plus de vingt ans
Tu as recherché ton amant
À travers toute l'Amérique
Dans les plaines et les vallons
Chaque vent murmurait son nom
Comme la plus jolie musique
Même si ton cœur était mort
Ton amour grandissait plus fort

Dans le souvenir et l'absence
Il était toutes tes pensées
Et chaque jour il fleurissait
Dans le grand jardin du silence

Évangéline, Évangéline

Tu vécus dans le seul désir
De soulager et de guérir
Ceux qui souffraient plus que toi-même
Tu appris qu'au bout des chagrins
On trouve toujours un chemin
Qui mène à celui qui nous aime
Ainsi un dimanche matin
Tu entendis dans le lointain
Les carillons de ton village
Et soudain alors tu compris
Que tes épreuves étaient finies
Ainsi que le très long voyage

Évangéline, Évangéline

Devant toi était étendu
Sur un grabat un inconnu
Un vieillard mourant de faiblesse
Dans la lumière du matin
Son visage sembla soudain
Prendre les traits de sa jeunesse
Gabriel mourut dans tes bras
Sur sa bouche tu déposas
Un baiser long comme ta vie

Il faut avoir beaucoup aimé
Pour pouvoir encore trouver
La force de dire merci

Évangéline, Évangéline

Il existe encore aujourd'hui
Des gens qui vivent dans ton pays
Et qui de ton nom se souviennent
Car l'océan parle de toi
Les vents du sud portent ta voix
De la forêt jusqu'à la plaine
Ton nom c'est plus que l'Acadie
Plus que l'espoir d'une patrie
Ton nom dépasse les frontières
Ton nom c'est le nom de tous ceux
Qui malgré qu'ils soient malheureux
Croient en l'amour et qui espèrent

Évangéline, Évangéline
Évangéline, Évangéline

Source : Michel CONTE, *Évangéline*, Les Éditions du Triangle / Intermède communications. Inspiré d'un poème de Henry Wadsworth Longfellow, 1847.

VA PLUS LOIN.

1. Une chanson est-elle un bon moyen de raconter un fait historique ? Discute de cette question avec un ou une camarade.

2. En équipe, préparez et présentez une lecture en chœur de la chanson. Quels accessoires pourraient rendre votre présentation plus intéressante ?

251

À l'œuvre !

Les dépliants touristiques constituent un média efficace pour faire connaître un site historique. Dans un dépliant touristique, l'information est présentée brièvement et dans l'ordre chronologique.

En équipe, faites une recherche sur un site historique de votre province ou territoire. Présentez les résultats de votre recherche sous forme de dépliant touristique.

Planifiez votre recherche.

En effectuant votre recherche, pensez aux éléments suivants :

- Quels renseignements voulez-vous présenter ?
- Quels intertitres allez-vous utiliser ?
- Quels éléments visuels accompagneront votre texte ?
- Où allez-vous trouver ces renseignements ?

Effectuez votre recherche.

- Déterminez les renseignements importants et regroupez-les par intertitre.
- Choisissez un titre pour votre dépliant.

Quelques CONSEILS

- Regardez quelques dépliants touristiques pour vous aider à cibler l'information que vous voulez présenter.
- Observez comment ces renseignements sont regroupés pour vous aider à choisir vos intertitres.
- Consultez d'autres sources (ex. : des guides touristiques ou des sites Internet).

252

Rédigez votre texte.

- Rédigez un court texte d'introduction. Donnez les caractéristiques du site choisi.
- Rédigez chacune des sections de votre dépliant.
- Trouvez des photos ou des éléments visuels pour accompagner votre texte.
- Ajoutez une carte du site historique.

Présentez votre dépliant.

- Présentez votre dépliant touristique à la classe. Faites preuve d'enthousiasme et de persuasion pour inciter le public à visiter ce site historique.

Faites un retour sur votre travail.

- Avez-vous bien réparti le travail ?
- Avez-vous fait une recherche approfondie sur le site présenté ?
- Avez-vous fourni suffisamment de renseignements ?
- Avez-vous parlé assez fort ?
- Votre présentation a-t-elle été appréciée ? Comment le savez-vous ?
- Que pourriez-vous améliorer la prochaine fois ?

Le musée de St. Boniface

St. Boniface est un quartier francophone de la ville de Winnipeg, au Manitoba.

En 1844, les Sœurs grises arrivent dans la région. On construit alors un couvent pour les héberger. Ce couvent est le plus vieil édifice de la ville de Winnipeg. De nos jours, il abrite le musée de St. Boniface.

Prenez rendez-vous avec l'histoire !

- Venez découvrir ce modèle d'architecture en bois de la rivière Rouge.
- Soyez témoins de la vie et de la culture des communautés francophone et métisse du Manitoba en observant des objets d'époque.
- Visitez l'exposition sur Louis Riel, appelé le « père du Manitoba ».
- Profitez d'une visite guidée du musée.

par Alexandra Desjardins   6ᵉ année

Les femmes exploratrices

par Barbara Greenwood

Quelles femmes
exploratrices
connais-tu ?

Depuis des siècles, des explorateurs s'aventurent en
territoire inconnu. Chacun veut être le premier à escalader
une montagne éloignée, à traverser une rivière déchaînée
ou à rencontrer la population locale. Jusqu'à récemment,
la plupart des explorateurs étaient des hommes. Plusieurs
sociétés ne permettaient pas aux femmes de voyager
seules ou de mettre leur vie en danger. Mais il y a
toujours eu des femmes qui ont voulu faire leurs preuves.
Certaines de ces femmes sont devenues exploratrices.

254

Gudrid : exploratrice du Moyen Âge

Vers l'an 1000 de notre ère, une jeune femme viking nommée Gudrid s'est rendue au Groenland. Elle y a épousé un riche marchand du nom de Thorfinnr Karlsefni. À cette époque, le climat du Groenland était suffisamment doux pour l'agriculture. Mais les récoltes étaient mauvaises en raison de la terre rocailleuse. Les colons mangeaient rarement à leur faim. Quand d'autres Vikings ont parlé d'une terre plus riche au sud-ouest, Gudrid et Thorfinnr ont décidé de tenter leur chance. En compagnie de 60 hommes et de 5 femmes, ils se sont embarqués sur 2 bateaux. Ils ont apporté du bétail, des outils et d'autres fournitures dont ils auraient besoin pour bâtir leur colonie.

Les Vikings se sont rendus jusqu'au Helluland (île de Baffin) puis jusqu'au Markland (Labrador). L'hiver venu, ils se sont arrêtés dans une baie protégée qu'ils ont appelée *Straumfjord* (possiblement à Terre-Neuve). C'est là que Gudrid a donné naissance à son fils, Snorri. Au printemps, ils ont repris leur voyage vers le sud. Ils se sont arrêtés quand ils ont trouvé une terre où le blé et le raisin poussaient à l'état sauvage. Ils ont créé une colonie appelée *Hop*, vraisemblablement en Nouvelle-Écosse.

Au début, les Vikings faisaient du troc avec les Premières Nations de la région. Ils échangeaient des vêtements contre des fourrures. Au bout de trois ans, les Vikings ont quitté la colonie et sont retournés au Groenland.

Plus tard, Gudrid s'est rendue à Rome. Elle a été l'une des plus grandes voyageuses du Moyen Âge.

OBSERVE LE TEXTE.

L'auteure utilise des phrases de différentes longueurs pour exprimer ses idées. Quel effet cela a-t-il sur le texte ?

Ce timbre, qui montre un bateau viking, a été émis le 17 février 2000.

Cette hutte de terre se trouve à l'Anse aux Meadows, à Terre-Neuve. Ce site est la plus ancienne colonie européenne connue en Amérique du Nord.

255

Catherine Schubert

Catherine Schubert : à travers les Rocheuses

En 1862, Catherine Schubert menait une vie heureuse à Fort Garry, qui est aujourd'hui Winnipeg. Puis, on a découvert de l'or dans la chaîne Cariboo en Colombie-Britannique. Le mari de Catherine, Augustus, a décidé de se joindre au groupe Overlanders. Ils allaient explorer les champs d'or, ou champs *aurifères*. Catherine a accompagné son mari à travers les Prairies. Leur charrette transportait leurs trois jeunes enfants, ainsi que des sacs de farine et de pemmican, une préparation de viande séchée.

Le voyage a été très difficile. Dans les montages, les voyageurs ont décidé de se séparer. Un groupe est parti vers le fleuve Fraser. Les autres, y compris les Schubert, ont choisi de descendre la rivière Thomson. Ils ont atteint la colonie de Kamloops. C'est là que Catherine a donné naissance à son quatrième enfant, Rose.

Pour les Schubert, c'était la fin du voyage. Ils se sont d'abord établis à Kamloops, puis à Lillooet. À l'été, Augustus est parti pour le champ d'or le plus proche. Catherine a préféré demeurer à la ferme.

Ce type de charrette, appelée *charrette de la rivière Rouge*, servait à transporter des biens, des fourrures et d'autres marchandises.

256

Tuquliqtuq : à la dérive sur les glaces

Tuquliqtuq [tou-rkou-LIRK-tourk] est une autre femme qui a fait preuve de courage. Elle vivait sur l'île de Baffin. En 1853, elle a rencontré Charles Frances Hall, un explorateur américain. Tuquliqtuq parlait très bien l'anglais. Elle et son mari Ipiirqvik [i-PIR-vik] sont donc devenus guides pour Hall. Les 3 ont voyagé ensemble pendant 11 ans.

En 1871, Tuquliqtuq, Ipiirqvik, Hall et son équipage partaient pour une expédition scientifique au pôle Nord. Cinq mois plus tard, Hall est décédé. Puis le bateau s'est pris dans la glace et a été abandonné.

Pour survivre, l'équipage s'est divisé en deux groupes. Le groupe de Tuquliqtuq et de Ipiirqvik s'est pris dans des glaces flottantes. Ils étaient au large de la côte du Labrador. Pendant six mois, ils se sont dirigés vers le sud. Ipiirqvik et Tuquliqtuq ont gardé tout le monde en vie en chassant et en pêchant. Ils ont finalement été sauvés par un navire d'expédition de chasse aux phoques.

Tuquliqtuq, Charles Hall et Ipiirqvik. Cette gravure, créée en Angleterre en 1865, illustre le livre de Hall racontant ses voyages dans l'Arctique.

Denise Martin et Matty McNair: rallier le pôle

Un peu plus d'un siècle plus tard, des femmes organisaient des expéditions polaires. En 1997, Denise Martin, de la Saskatchewan, et Matty McNair, des États-Unis, ont dirigé le relais polaire pour femmes. Leur objectif était de parcourir à ski les 750 km qui séparent l'île d'Ellesmere du pôle Nord. Toutes deux connaissaient les risques de cette expédition. C'est pourquoi elles portaient des combinaisons imperméables et avaient des skis solides suffisamment longs pour traverser les crevasses. De plus, elles avaient de la nourriture pour fournir à chaque femme 5000 calories par jour.

Le groupe était constitué de cinq équipes de quatre femmes.

Le 14 mars, la première équipe est partie
de l'île d'Ellesmere en compagnie de Denise et
Matty. Elles allaient parcourir un cinquième de
la distance avant que l'équipe suivante vienne
prendre le relais. Denise et Matty ont skié avec
les cinq équipes.

Les femmes ont skié dans la neige molle à travers
le blizzard. Soudain, la glace s'est ouverte devant
elles. Certaines ont perdu leurs bâtons de ski et
du matériel important. Mais à mesure que les
équipes se relayaient, elles se rapprochaient du but.
Finalement, le 74e jour, Denise Martin est devenue
la 1re femme à atteindre le pôle Nord.

Aujourd'hui, les femmes escaladent les montagnes,
photographient la vie sous-marine et vont en orbite
autour de la Terre. Elles suivent les traces de ces
premières femmes exploratrices.

VA PLUS LOIN.

1. Quelle expédition
   as-tu trouvée la plus
   intéressante ? Pourquoi ?
   Résume l'expédition à
   un ou à une camarade,
   en la racontant comme
   si tu étais l'explorateur
   ou l'exploratrice.

2. En équipe, préparez un jeu
   de rôle d'une journée dans
   la vie d'un explorateur
   ou d'une exploratrice
   de votre choix.
   Présentez votre jeu
   de rôle à la classe.

Isabelle Scott vers la Terre

Maman est morte.

J'écris ces lignes sur la toute première page de ce carnet, mais j'ai bien peur qu'il n'en reste que des taches et de pâles traces d'encre, si je n'arrête pas de pleurer.

Quand papa et moi sommes allés chercher, dans la malle de maman, une tenue pour son enterrement, nous avons trouvé ce carnet caché dans les plis de sa plus belle robe, celle qui est en soie grise. J'ai pris le carnet et je l'ai tendu à papa. Il a lu l'inscription sur la page de garde : c'était tout ce que maman avait eu le temps d'écrire ! Soudain, avant que je puisse l'en empêcher, il a arraché la page, en a fait une boule et l'a jetée par terre. Puis il a lancé le journal dans un coin. Je me suis précipitée pour le ramasser, et la boule de papier aussi.

« Je vais m'occuper du journal, papa. Je vais le continuer à sa place. »

Papa n'avait pas l'air de m'entendre. Mais moi, je me disais que, si j'arrivais à sauver le journal, je pourrais sauver un petit quelque chose de maman.

En écrivant ces mots aujourd'hui, je vois bien que c'était insensé, mais je crois que, sous le coup de l'émotion, nous n'étions ni l'un ni l'autre dans un état normal. J'ai pourtant le sentiment qu'en racontant l'histoire de notre voyage dans ces pages, je vais pouvoir continuer de parler avec maman. Alors c'est une bonne raison de le faire.

260

de Rupert, juillet 1815

Voici ce que maman a eu le temps d'écrire. Je le recopie, à sa mémoire.

J'écris ces premières lignes, le cœur rempli d'espoir. Dans quelques jours, nous voguerons sur l'Atlantique, le regard tourné vers le Nouveau Monde. Je me sentirai l'esprit en communion avec les grands goélands blancs qui planeront sur nos têtes, me rappelant que nous nous rendons dans des contrées vastes et généreuses, où nous pourrons retrouver notre indépendance et notre dignité.

Elle a été enterrée, revêtue de sa robe de soie grise. Je me rappelle les histoires qu'elle me racontait à propos de cette robe : qu'elle la portait les soirs de fête, quand son père recevait les voisins dans leur magnifique manoir. Je me l'imagine au centre de la salle de bal inondée de lumière, le visage bordé par sa splendide chevelure rousse. Je la vois avec ses beaux yeux bleus et son sourire espiègle, entourée d'invités qui la regardent virevolter au son de l'orchestre, béats d'admiration.

Et voilà que j'ai manqué à mon engagement ! J'ai complètement oublié de dire qu'au moment où j'écris ces lignes, je me trouve sur un navire qui porte le nom de *Prince of Wales*. Et je n'ai même pas noté la date ni l'heure. À vrai dire, je ne sais plus très bien quel jour nous sommes. La prochaine fois, je vais le demander à un des marins et l'inscrire dans mon journal. Je promets que je vais essayer de m'améliorer, car maman doit s'attendre à ce que je fasse de mon mieux.

OBSERVE LE TEXTE.

L'auteure a utilisé certains mots et expressions pour décrire ses émotions. Lesquels ?

261

Robert a l'air perdu, sans maman. À neuf ans, il est assez grand pour qu'on lui dise qu'elle ne reviendra plus, mais pas assez pour comprendre vraiment ce que cela signifie. D'ailleurs, je crois qu'aucun de nous ne le comprend vraiment. James, en bon grand frère, tente de réconforter Robert avec des blagues et des histoires, mais toutes semblent tomber à plat. Et le temps que Robert passait normalement avec papa lui a été enlevé aussi, car papa est tellement anéanti par son chagrin qu'il ne se rend plus compte de rien.

Il reste assis sur sa malle à longueur de journée, sans aucune énergie. Je dois le traîner de force sur le pont, à l'air libre. Il ne parle à personne.

Je me rappelle encore le jour où papa est revenu à la maison, avec l'air d'être sur le point d'exploser de joie. Je venais d'avoir 12 ans. Papa nous rapportait une nouvelle qui allait changer à tout jamais le cours de notre existence. Difficile d'imaginer que c'est le même homme qui se tient devant moi aujourd'hui. Alors, ses yeux brillaient, et il ne tenait pas en place, tant il était excité.

«J'ai rencontré un type qui représente le comte de Selkirk, nous avait-il dit. Il recrute des hommes prêts à quitter l'Écosse pour aller s'établir en Terre de Rupert, au Nouveau Monde! La traversée de l'océan est très longue, mais, dans le Nouveau Monde, nous serons propriétaires en titre de nos terres. La vallée de la rivière Rouge est fertile, à ce qu'on dit, et la belle saison y est assez longue pour donner de belles récoltes. C'est une occasion à ne pas manquer. L'occasion ou jamais pour nous d'améliorer notre sort. De refaire notre vie. De devenir propriétaires terriens. De gravir quelques échelons dans la société. De ne pas rester dans un état de servitude.»

Maman avait ri de son bonheur.

«Tu n'as pas besoin d'essayer de me convaincre, William, avait-elle dit. Nous allons vivre la plus grande aventure de notre vie.»

En disant cela, elle avait lancé son ouvrage de couture dans les airs, et papa l'avait prise dans ses bras. Tous deux s'étaient mis à tournoyer, comme s'il y avait de la musique. C'était comme s'ils dansaient dans une salle de bal tout illuminée par de grands candélabres et somptueusement décorée de bouquets de fleurs.

J'imaginais notre vie dans le Nouveau Monde, habitant une grande maison, avec des domestiques pour me servir et de jeunes prétendants qui se bousculeraient à notre porte. Je n'étais pas effrayée pour deux sous. Évidemment, j'étais désolée à l'idée de quitter mes amis, mais au fond de moi, j'avais toujours su que j'allais partir. J'avais toujours eu le sentiment que j'étais destinée à un avenir plus brillant. Et voilà que ça se réalisait!

Source: Carol MATAS (texte français de Martine FAUBERT), *Cher Journal – Des pas sur la neige – Isabelle Scott à la rivière Rouge – Terre de Rupert, 1815*, Toronto, Éditions Scholastic Canada, 2006, p. 3-6.

VA PLUS LOIN.

1. Avec un ou une camarade, choisis une partie du journal présenté. Exercez-vous à lire cet extrait avec expression.

2. En équipe, composez des questions que vous aimeriez poser à la jeune fille qui a écrit le journal à la place de sa mère et suggérez des réponses plausibles. À tour de rôle, posez vos questions et présentez vos réponses à une autre équipe.

263

Les incroyables aventures de Champlain

par Joanne Stanbridge

Bonjour, je suis le charmant Maurice et je serai votre guide aujourd'hui. Nous sommes en route pour les rapides de Lachine, près de Montréal, au Québec. Je ne peux pas vous promettre que vous survivrez à ce voyage. Mais je peux au moins vous garantir que vous ne mourrez pas d'ennui.

Comment l'humour peut-il rendre une histoire intéressante ?

J'ai une déclaration à faire.

La plupart des textes sur Samuel de Champlain peuvent être tellement ennuyants. Ils me donnent envie de dormir. Ce n'est qu'une liste interminable de ses nombreuses allées et venues.

Champlain a fait tellement d'allers-retours qu'on pourrait croire que traverser l'Atlantique était aussi facile que d'aller à l'épicerie du coin. Mais je vous assure que ce n'était pas le cas. À l'époque, les navires étaient petits. Ils se balançaient de tous les côtés tout en naviguant sur la **crête** et dans le **creux** des vagues. Comme ils n'avaient pas de moteurs, ils dépendaient strictement du vent. C'est pourquoi ils étaient immobilisés la moitié du temps, toutes voiles rabattues. Le reste du temps, ils avançaient comme ils le pouvaient, généralement dans la mauvaise direction. Et puis il y avait les tempêtes, le brouillard et les icebergs. Les cales de ces navires étaient **horribles** et **sombres**. Les gens avaient le mal de mer. Certains mouraient. La nourriture pourrissait. L'odeur était… insupportable ! Et la traversée de l'Atlantique durait au moins un mois. Alors, quand Champlain déclare joyeusement qu'il a fait le voyage 21 fois, vous avez le droit de lui demander « Tu rigoles ou quoi ? ».

Je ne peux m'empêcher de remarquer les grosses vagues sur le fleuve ! C'est tellement plus violent que je le croyais. Je comprends maintenant pourquoi Champlain, lors de son voyage à l'été 1610, s'est arrêté ici : son bateau ne pouvait pas remonter les rapides.

OBSERVE LE TEXTE.
Quelles phrases nous donnent l'impression de suivre une conversation ?

Un an plus tôt, il avait rejoint ses amis algonquins, wendats et innus dans la bataille contre les Haudenosaunee, que plusieurs appellent la *Confédération iroquoise*. Il l'a fait pour sceller son amitié avec eux. Il voulait s'assurer qu'ils resteraient de son côté dans le commerce de la fourrure. Il était assez confiant car il avait des fusils alors que les Haudenosaunee n'en avaient pas. Et, comme prévu, ses amis et lui ont gagné la bataille, même s'ils étaient beaucoup moins nombreux. Champlain a tué trois chefs ennemis. Ses adversaires n'avaient jamais vu ni entendu de fusil avant, et ils ont paniqué.

Cette bataille a été de courte durée. Mais quand ils se sont de nouveau affrontés l'année suivante, les choses ont été plus difficiles. Champlain a reçu une flèche qui lui a transpercé l'oreille et s'est logée dans son cou. AÏE ! Il l'a arrachée d'un coup sec et il a continué à se battre. C'est la dernière fois que ses alliés et lui ont gagné contre les Haudenosaunee.

AÏE !

Après la bataille, Champlain se préparait à retourner en France. C'est alors qu'un adolescent de son groupe (probablement Étienne Brûlé) a demandé de rester. Il voulait passer plus de temps avec le peuple algonquin. Selon la culture algonquine, s'il arrivait quelque chose à Étienne, Champlain devrait rétablir l'équilibre en se vengeant – chose que les Algonquins voulaient **éviter à tout prix** ! Alors, quelqu'un a eu l'idée de faire un échange. Un garçon wendat accompagnerait Champlain, pendant qu'Étienne resterait avec le chef nommé Iroquet et son peuple. Puis, à la fin de l'année, ils se rencontreraient aux rapides de Lachine pour que les deux garçons rejoignent les leurs.

Étienne est donc resté en Amérique du Nord. Il a parcouru de longues distances sur la rivière des Outaouais. Puis il a rejoint la nation wendat près de la baie Géorgienne. Pendant ce temps, l'adolescent wendat que Champlain appelait Savignon voyageait en France et trouvait que les Européens étaient vraiment **différents**.

À l'été 1611, Champlain est revenu pour retrouver le chef Iroquet, Étienne et les autres. Mais ils n'étaient pas là. Il s'est installé pour attendre. Se baladant dans un canot qui prenait l'eau, il a touché terre à l'endroit qui est aujourd'hui Montréal.

266

La balade de Champlain s'est terminée brusquement quand Savignon et deux de ses amis ont tenté de descendre les rapides. Leur canot s'est renversé. Les deux amis se sont noyés, et Savignon a réussi à rejoindre le camp, effrayé et épuisé.

Quand Champlain a finalement rejoint le chef Iroquet pour échanger Savignon contre Étienne, il ne s'attendait pas à avoir de problèmes. Cependant, un groupe de commerçants de fourrures avait suivi Champlain jusqu'aux rapides. Or, le peuple d'Iroquet ne faisait pas confiance à ces visiteurs inattendus. Ils se demandaient même si Champlain les avait amenés avec lui dans un but précis. Champlain a tenté de leur expliquer ses bonnes intentions, mais ça ne suffisait pas. Le peuple d'Iroquet ne semblait pas convaincu de l'honnêteté de Champlain. Donc, pour démontrer qu'il disait la vérité et qu'il pouvait être fiable, Champlain a accepté un défi: risquer sa vie en descendant les rapides dans un canot, en sous-vêtements. S'il survivait à cet exploit, le peuple d'Iroquet devrait lui faire confiance.

267

Deux garçons venaient de se noyer à cet endroit. Champlain ne savait pas nager et le gilet de sauvetage n'existait pas encore à l'époque. Il faisait preuve d'un courage incroyable. Ou alors, c'était incroyablement stupide de sa part. Champlain a tenté de paraître calme pendant que chacun donnait son conseil : «Si un accident se produit, tiens-toi à la barre au milieu du canot.» Et : «Peu importe ce qui se passe, ne lâche pas !»

Les amis de Champlain étaient étonnés et effrayés par son audace. Mais il s'est lancé, affrontant les vagues pendant que **sa chemise de nuit battait au vent**. Heureusement, aucune roche n'a fracassé son canot. Aucun courant violent ne l'a renversé. Aucune grosse vague ne l'a emporté. Quand Champlain est arrivé en bas des rapides, le peuple d'Iroquet le respectait plus que jamais. Il avait vaincu les rapides et gagné la confiance du peuple d'Iroquet. Son audacieuse performance avait scellé leur amitié à jamais. Plus tard, Champlain a écrit qu'il était très nerveux. «Même la personne la plus courageuse au monde, a-t-il déclaré, n'aurait pu faire cela calmement.» Il ne se vantait pas. C'était un fait.

Au cours de sa vie, Champlain a **souvent fait preuve de bravoure**, mais aucune de ses aventures ne l'a tué. Dans la soixantaine, il menait une vie tranquille au Québec. Il s'adonnait davantage au jardinage qu'à la descente de rapides. Il est mort dans son lit, le jour de Noël, en 1635.

C'est triste mais cela me réconforte un peu pendant que nous nous installons dans le radeau en caoutchouc. Il existe peut-être une chance que nous survivions à cette aventure et que nous mourions dans notre lit à un âge respectable. Mais nous devons d'abord être braves, comme Samuel de Champlain !

AAAAAAAaaaaaaaaaaa !

268

Source : Traduction libre. Joanne STANBRIDGE, «The Plumley Norris Field Guide : Champlain at Lachine», *Famous Dead Canadians*, Toronto, Éditions Scholastic Canada, 2003, p. 170.
© Joanne Stanbridge, 2003. Reproduit avec l'autorisation des Éditions Scholastic Canada.

VA PLUS LOIN. ·······································

1. Avec un ou une camarade, crée une bande dessinée de quatre à six cases racontant une partie de l'histoire. Mettez un peu d'humour dans votre bande dessinée !

2. Divisez votre classe en deux groupes pour faire un débat. Une équipe devra être d'avis que les exploits de Champlain faisaient preuve de bravoure. L'autre équipe devra débattre du contraire, et démontrer que Champlain faisait courir de grands risques aux membres de son équipage. Appuyez vos arguments de faits tirés du texte.

À ton tour !

C'est à ton tour de mettre en application ce que tu as appris au sujet de notre héritage canadien. Écris une page du journal personnel d'un personnage historique. Tu peux choisir une personne mentionnée dans ce module ou une personne sur laquelle tu as fait une recherche.

Rédige ton journal.

- Réfléchis à ce que tu as appris tout au long du module. Choisis un personnage qui t'intéresse.

- Compose une page de journal qui relate des faits intéressants de la vie de cette personne.

- Rappelle-toi d'utiliser le pronom «je».

- Assure-toi que chaque paragraphe correspond à une journée ou à un événement.

- Tu pourrais ajouter des dessins ou un collage.

- Assure-toi que les faits présentés sont plausibles.

- Exerce-toi à lire ton journal avec expression et fluidité.

Quelques CONSEILS

- Introduction : ton texte d'introduction doit répondre aux questions *quoi ?*, *où ?*, *quand ?* et *comment ?*

- Développement : présente les faits dans l'ordre chronologique. Choisis quelques aspects à présenter ou à décrire.

- Conclusion : termine avec une réflexion sur ce qui s'est passé ou ce qui arrivera.

Présente ton journal.

- Lis ton journal à la classe en mettant de l'intonation dans ta voix pour faire part de tes émotions.

- Invite tes camarades à te faire part de leurs commentaires.

270

Gros plan sur tes **apprentissages**

Prépare-toi.

- Rassemble tes notes et les travaux réalisés dans ce module.

Réfléchis et discute.

Travaille avec un ou une camarade.

- Ensemble, lisez les objectifs d'apprentissage présentés à la page 228.

- Évalue ton travail. As-tu atteint les objectifs ?

- Trouve des exemples qui montrent que tu as atteint les objectifs.

Fais tes choix.

- Choisis deux travaux qui montrent que tu as atteint les objectifs d'apprentissage. Un même travail peut montrer que tu as atteint plusieurs objectifs.

Justifie tes choix.

- Décris ce que chaque travail montre au sujet de tes apprentissages.

Mes choix	J'ajoute ces travaux à mon portfolio parce que...

Réfléchis.

- Qu'as-tu appris sur la recherche, la collecte et la communication d'information sur un sujet en études sociales ?

- Qu'as-tu appris sur les personnages et les sites historiques ?

- Quels textes ou quelles activités as-tu le plus aimés ? Lesquels t'ont le plus fait réfléchir ?

271

Sources des documents

Photographies

AGENCE SPATIALE CANADIENNE: p. 102 (g); p. 115; p. 115 (logo); p. 126 (h, d). **L'ANNUEL DE L'AUTOMOBILE:** p. 146 (c). **AP PHOTO:** p. 33: C. Nesbitt. **ARTV:** p. 56 (c). **ASSOCIATION FRANÇAISE D'ASTRONOMIE:** p. 102 (d). **BAYARD JEUNESSE:** p. 8 (d): M. Grousson. **BIBLIOTHÈQUE ET ARCHIVES CANADA:** p. 8 (g): Reproduit avec la permission du ministre des Travaux publics et Services gouvernementaux Canada, 2009; p. 24; p. 232 (b): NM C-51970; p. ix (h) et 244: C-016105K; p. 255 (h): Archives de Postes Canada; p. 257 (c): C-028015. **BIGSTOCK:** p. 205 à 207 (fond). **BRITISH COLUMBIA ARCHIVES:** p. 254 (g): H-03440; p. 256 (c): A-03081. **CBC:** p. 82 (h). **CIRQUE DU SOLEIL:** p. v (b) et 70; p. 80 (b); p. 81. **CORBIS:** p. 2-3: A. AL Hashlamoun, epa; p. 5 (h): R. Reuters, Sygma; p. 12: D. Balibouse, Reuters; p. 20 (h): Reuters; p. 20 (b): Reuters; p. 26 (b, d): W. Stone; p. 27 (b): L. Taylor; p. 31 (h): L. Gubb, SABA; p. 34 (c, d): O. Franken; p. 35 (h): O. Franken; p. 35 (c): O. Franken; p. 35 (b): E. Young; p. 36 (b): B. Fert; p. 37 (c): S. Colasanti; p. 54 (h): Gracieuseté de © Twentieth Century Fox/Bureau L.A. Collection; p. 63 (b, c): T. Streshinsky; p. 96-97: Bettmann; p. 98: W. Radcliffe, Science Faction; p. 106: R. Ressmeyer; p. 107: T. Moow, amanaimages; p. 108; p. 108 (vignette); p. 109: R. Sachs, CNP, Sygma; p. 127: R. Ressmeyer, NASA; p. 187 (h): H. Armstrong Roberts, ClassicStock; p. 187 (b): D. Hudson, Sygma; p. viii (h) et 189: B. Anthony Stewart, National Geographic Society; p. ix (b) et 233: L. Snider, Photo Images; p. 255 (b): T. Thompson; p. 257 (b): S. Widstrand. **CP IMAGES:** p. 7 (b): M. Hernandez, AP Photo; p. 10: T. Hanson; p. 11: F. Chartrand; p. 13: R. Remiorz; p. 14: E. Dalziel, AP Photo; p. 15: E. Dalziel, AP Photo; p. 25: T. Hanson; p. 78: M. Evans, AP PHOTO; p. 165: Annette & Basil Zarov; p. 208: M. Pineault; p. 258 (b, g). **DELPHIS FILMS:** p. 190 (c). **DENISE MARTIN:** p. 254 (d); p. 258 (h); p. 258 (b, d); p. 259. **DOMINIQUE ET COMPAGNIE:** p. 190 (g): Illustration L. Melanson. **DORLING KINDERSLEY:** p. 52 (b); p. 53. **DREAMSTIME:** p. 220. **ÉDITIONS HÉRITAGE:** p. 234 (h, d). **ÉDITIONS QUÉBEC AMÉRIQUE:** p. 205: BEAULIEU, Alain. *Aux portes de l'Orientie*, 2005. **ÉDITIONS SCHOLASTIC:** p. 102 (c); p. 234 (b, d). **FONDATION CONCEPTART MULTIMÉDIA:** p. 234 (g). **FUSE PROJECT:** p. iv (h) et 6 (d). **GALLIMARD:** p. 190 (h, d): Illustration Jean-François Martin. **GETSTOCK:** p. 238: MJ Photography. **GETTY IMAGES:** p. 7 (h): P. Pillai, AFP; p. 71 (h): I. Waldie. **GLENBOW ARCHIVES:** p. 23: NA-3740-29. **ISTOCKPHOTO:** p. 4: R. Bowden; p. 16 (h): J. Bryson; p. 16 (b): L. Schindler; p. iv (b) et 18: T. Dixon; p. 18 à 21 (fond): S. Klein; p. 19; p. 21: G. Hernández; p. 26 (h); p. 26 (c): I. Limbach; p. 26 (b, g): C. Brunt; p. 26-27 (fond); p. 27 (h, g): J. Smith; p. 27 (h, d): L. F. Young; p. 28-29 (fond): Bill Noll; p. iv (c) et 32; p. 34 (c, g): E. Cameron; p. 34 (b): D. Lundin; p. 50-51: T. Maffeis; p. 58: P. Viisimaa; p. 59 (b, g): V. Ivanov; p. 59 (b, c): R. Rasmussen; p. 59 (b, d): C. Schmidt; p. 59, 61, 63 (fond); p. 60: N. Jones; p. 61 (b, g); p. 61 (b, c); p. 61 (b, d): N. Jones; p. 62: A. Burak; p. 63 (b, d): Y. Ioannou; p. 67: R. Gunion; p. 67 à 69 (fond): G. Nicholas; p. 71 (b, g): R. Bloom; p. 71 (b, c): M. Rose; p. 71 (b, d): E. Serrabassa; p. 80 (h); p. 84 à 86 (fond): P. Javier Bernal Martínez; p. vi (h) et 104; p. 110 (b): B. Coenders; p. 112 à 115 (fond); p. 114 (g): R. Tahilramani; p. 120: H. Karlsson; p. 121: L. Schindler; p. 138; p. 140-141: F. Ramspott; p. 148: M. Barsse; p. 149 (haut); p. 149 (c): T. Stalman; p. 150: E. Serrabassa; p. 151 (g); p. 151 (d): C. Martínez Banús; p. vii (b) et 152: M. Flippo; p. 153 (g); p. 153 (d); p. 154 (b): N. Louie; p. 166 (h): S. Cole; p. 166 (b); p. 166-167 (fond): B. Noll; p. 166-167 (fond); p. 166-167 (fond vert): N. Taylor; p. 167 (h): A. Avdeev; p. 167 (b): W. Gajda; p. 172 à 175 (fond); p. 184-185: S. Shaw; p. 186 à 189 (fond): M. Bentley; p. 192 à 197 (fond): J. Santaniemi; p. 205 à 207 (fond); p. 216 à 221 (fond): T. Woodring; p. 217: C. O Driscoll; p. viii (g) et 218: E. Isselée; p. 219: C. Scredon; p. 228-229; p. 236: S. Shaw; p. 242 (h); p. 250; p. 256 (h, g); p. 256 (b): P. Bonneau;

p. 257 (h); p. 260 à 263 (fond): J. Ahvo. **JOYCE MAJISKI:** p. 163: *Caribou Ghosts* [fantômes de caribous], 1995, monotype, © CARCC 2010. **JUPITERIMAGES:** p. 10, 12, 14 (punaises); p. 52 (h): © Comstock; p. 143 (fond): © Comstock. **KIDS CAN PRESS:** p. 128 (h, d) et 128 (b, d): tirées de *The Amazing International Space Station*, des éditeurs de *YES Mag*. **KOBAL COLLECTION:** p. 54 (b): Columbia. **LA COURTE ÉCHELLE:** p. 190 (b, d): Ilustration R. Sottolichio. **LAFAB MUSIQUE:** p. 162 (h): P. Fore. **LIBRARY OF CONGRESS:** p. 232 (h). **MARGO LAGASSÉ:** p. 161. **MEGAPRESS.CA:** p. 237 (h): Caron, Reflexion. **MUSÉE CANADIEN DES CIVILISATIONS:** p. 231: Artéfact # 989,56,1, photo par H. Foster, image S94-37602. **NASA:** p. 99 (h); p. 99 (b); p. 100 (h); p. 100 (b); p. 101 (b); p. 112; p. 113; p. 114 (d): msfc; p. 116; p. 117: JPL; p. 119: JPL; p. 126 (b, d); p. 128 (c): Human Space Flight. **NATHALIE DULEX:** p. 37 (h). **NATHALIE GIRARD:** p. 69. **NUANCE COMMUNICATION:** p. 56 (d); p. 146 (d). **OLPC:** p. 5 (b). **ONU:** p. 6 (g). **OSKAR JEUNESSE:** p. 8 (c). **PARCS CANADA:** p. 237 (carte); p. 239 (h): © Document H.06.74.06.09(04), S. Lunn, 2006; p. 240: © Document H.08.81.06.11(68), D. Venne, 2003; p. 241 (h): © Document H.08.81.06.11(40), D. Venne, 2003; p. 241 (carte). **PHOTOTHÈQUE ERPI:** p. 9; p. 28-29 (carte); p. 31 (b); p. 48; p. 49; p. 52 (fond); p. 57; p. 64 (h); p. 64 (b); p. 79 (h); p. 79 (b); p. 82 (c); p. 82 (b); p. 95; p. 98 à 101 (fond); p. 101 (h); p. 110 (h); p. 122; p. 123; p. 139; p. 154 (h); p. 169; p. 182; p. 183; p. 198 (h); p. 198 (b); p. 211; p. 227; p. 239 (carte); p. 242 (b); p. 252; p. 256 (h, c); p. 256 (h, d); p. 271. **RAY BOUDREAU:** p. 17; p. 30; p. 65; p. 76; p. 103; p. 111; p. 155; p. 199; p. 243; p. 270. **RONALD GRANT ARCHIVE:** p. 55. **SCIENCE PHOTO LIBRARY:** p. 124-125: NASA. **SHUTTERSTOCK:** p. 22 (cadre); p. 25 (coins de la photo); p. 126 (h); p. 126 (b, g); p. 128 (h, g). SRC: p. 56 (g). **STÉPHANE LEFEBVRE:** p. 66; p. 68. **TATE GALLERY LONDON:** p. 246. **TFO:** p. 146 (g). **THE TORONTO SUN:** p. 22. **TODD LABRADOR:** p. 164. **TRANSFAIR CANADA:** p. 36 (h). **TRISTAN DEMERS:** p. 63 (b, g). **VANCOUVER SUN:** p. 162 (b): M. Van Manen. **VILLAGE HISTORIQUE ACADIEN:** p. 234 (c). **WALTER MYERS:** p. 105. **WHYTE MUSEUM OF THE CANADIAN ROCKIES:** p. 254 (h): V263.

Illustrations

Marion Arbona: p. vi (g), 42 à 47, 129 à 133. **Deborah Crowle:** p. 34 (h). **Christine Delezenne:** p. 38 et 41. **Jeff Dixon:** p. 118. **Jean-Paul Eid:** p. 212 à 215. **Leanne Franson:** p. 200 à 204, 230-231. **Sylvain Frecon:** p. viii (d), 222 à 225. **Philippe Germain:** p. 83, 247 (b, d), 248-249. **Tina Holdcroft:** p. 170-171, 247 (b, g). **Stéphane Jorisch:** p. 193, 195, 197, 260 à 263. **Geneviève Köte:** p. 264 à 269. **Stephen MacEachern:** p. 245. **Samuel Parent:** p. vii (c), 176 à 181. **Rémy Simard:** p. 87 à 93, 134 à 136. **Dave Whamond:** p. vii (h), 142 à 145, 156 à 160.

Textes

P. 18 à 21: SCHUMACHER, Albert J. «L'eau pour tous – Vers un accès à l'eau potable et à l'assainissement», *Chroniques de l'ONU* [en ligne]. (Consulté le 29 octobre 2009.) © Organisation des Nations unies. Reproduit avec autorisation. **P. 22 à 25:** Traduction libre. LEM, Sharon. «My Grandpa: A Born Fighter», adapté de «A Born Fighter, Grandpa Was the Last of His Kind», *Toronto Sun*, 31 mars 2003. Reproduit avec autorisation. **P. 32 à 37:** Traduction libre. McLEOD, Clay. «Square and Fair», *OWL Magazine*, janvier-février 2005. Reproduit avec l'autorisation de Bayard Presse Canada inc. **P. 38 à 41:** BEN JELLOUN, Tahar. *Le racisme expliqué à ma fille*, Paris, © Éditions du Seuil, 1998, 2009, p. 11 à 14. **P. 72-73:** CHILDS, Caro, et Chris CAUDRON. *Maquillages*, Londres, Éditions Usborne, 2008, p. 23. Reproduit avec l'autorisation de Usborne Publishing, 83-85 Saffron Hill, Londres, eC1N 8RT, Angleterre. © 2008 Usborne Publishing Ltée. **P. 74-75:** SOULIÈRES, Robert, et Caroline MEROLA. *Am, stram, gram et calligrammes*, coll. Ma petite vache a mal aux pattes, Saint-Lambert, © Soulières Éditeur, 2006, p. 12, 15, 28-29, 42-43. **P. 78 à 83:** Traduction libre. WALLACE, Shelagh. «What Do You See on TV?», *The TV Book: The Kids' Guide to Talking Back*, Annick Press Ltée, 1996. Reproduit avec autorisation. **P. 84 à 86 et photo p. v (h):** O'BRIEN, Eileen, et Kate NEEDHAM. *L'origami et autres créations en papier*, Londres, Éditions Usborne, 2008, p. 6, 12 et 13.

Reproduit avec l'autorisation de Usborne Publishing, 83-85 Saffron Hill, Londres, eC1N 8RT, Angleterre. © 2008 Usborne Publishing Ltée. **P. 87 à 93 :** TURGEON, Élaine. *Une histoire tout feu tout flamme*, Montréal, Éditions Québec Amérique, 2002, p. 42-45, 62-66, 71, 80-83, 87-89, 97-99, 101-102 et extrait inédit. **P. 98 à 101 :** Traduction libre. «Space : A Guided Tour», adapté de «The Solar System», *KNOW Magazine : The Science Magazine for Curious Kids*, numéro 2, «Out of This World : Exploring Our Solar System». **P. 116 à 119 :** Traduction libre. GEORGE, Michael. *A Star Is Born*, coll. Creative Education, © Creative Education, une marque de The Creative Company, Mankato, Minnesota. **P. 120-121 :** PLAMONDON, Luc. *Paroles de Plamondon*, Montréal, Lanctôt éditeur et Luc Plamondon, 2005, p. 129-131, SODRAC 2010. **P. 124 à 128 :** Traduction libre. «Ask an Astronaut», gracieuseté de l'Agence spatiale canadienne. **P. 129 à 133 :** Musée virtuel du Canada. *Légendes célestes* [en ligne]. (Consulté le 6 novembre 2009.) Reproduit avec l'autorisation de Glenbow Museum, Calgary, Alberta. **P. 134 à 137 :** ASCH, Frank. *Star Jumper – Journal de bord n° 2 d'un génie*, Montréal, Les éditions de la courte échelle inc., 2008, p. 140-142, 149-154. **P. 166-167 :** DUHAIME, André. *Automne ! Automne !*, *Le Soleil curieux du printemps* et *Châteaux d'été*, St. Boniface, Éditions des Plaines, 2002-2003. **P. 170-171 :** Traduction libre. NG, Mandy. «Learn a Dance Move !», adapté de «Bust a Move», *OWL Magazine*, janvier-février 2007. Reproduit avec l'autorisation de Bayard Presse Canada Inc. **P. 172 à 175 :** GROOVIE, Annie. *Délirons avec Léon*, numéro 20, Montréal, Les éditions de la courte échelle inc., 2009, p. 39, 43-45. **P. 176 à 181 :** © BERGERON, Alain M. *La classe de neige*, Saint-Lambert, Soulières éditeur, 2006 p. 27-42, 47-48, 51-54, 58, 62-65, 67, 71-72. **P. 200 à 204 :** Traduction libre. GAMACHE, Donna. «A Blazing Rescue», extrait de «The Cat's Meow», *Cricket Magazine*. Reproduit avec l'autorisation de l'auteure. **P. 208-209 :** CÉBASTIEN, musique de Brian ST-PIERRE. *Parle-moi de nous*, Montréal, Editorial Avenue/Hervé Productions. **P. 216 à 221 :** GRIMAUD, Agnès. *Lucie Wan Tremblay et l'énigme de l'autobus*, coll. Dominique et compagnie, Saint-Lambert, Les éditions Héritage inc., 2009, p. 29-38, 43-49, 51-57. **P. 222 à 225 :** de FOMBELLE, Timothée. *Céleste, ma planète*, Paris, © Éditions Gallimard Jeunesse, 2009, p. 59-63. **P. 250-251 :** CONTE, Michel. *Évangéline*, © Les Éditions du Triangle/Intermède Communications, 1968. **P. 260 à 263 :** MATAS, Carol (texte français de Martine FAUBERT). *Cher Journal – Des pas sur la neige – Isabelle Scott à la rivière Rouge – Terre de Rupert, 1815*, Toronto, Éditions Scholastic Canada pour le texte français, 2006, p. 3-6. **P. 264 à 269 :** Traduction libre. © STANBRIDGE, Joanne. «Champlain's Awesome Adventure», extrait de «The Plumley Norris Field Guide : Champlain at Lachine», *Famous Dead Canadians*, Toronto, Éditions Scholastic Canada, 2003, p. 170. Reproduit avec l'autorisation des Éditions Scholastic Canada.